# Everyday Chinese

## 60 Fables and Anecdotes

## 每 日 汉 语

### 寓言、轶事六十篇

*Zhong Qin*

鍾 梫

**NEW WORLD PRESS**

**1983**

Illustrated by Bi Keguan

插　　图　　毕　克　官

First Edition 1983

ISBN　0-8351-1086-9

---

*Published by*
NEW WORLD PRESS
24 Baiwanzhuang Road, Beijing, China

*Distributed by*
CHINA PUBLICATIONS CENTRE
(GUOJI SHUDIAN)
P.O. Box 399, Beijing, China

Printed in the People's Republic of China

# INTRODUCTION

In *Everyday Chinese — 60 Fables and Anecdotes* which can be used to learn China's spoken language, the author has retold 60 ancient fables and anecdotes in about 2,000 frequently used words and expressions. An English translation of the stories which are adapted from classical Chinese is included. Grammatical Notes and Language Notes are given at the end of every 8 texts, each with its own theme. Throughout the book the modern simplified Chinese characters are used with the pronunciation added in *pinyin*, the Latin alphabet transcriptions. The Chinese characters in their original forms are also given.

The book is prepared primarily for use by learners of all ages as self-teaching material. The author hopes that readers who have already done some basic study of the Chinese language will also find the present book useful for mastering everyday expressions and reviewing their grammatical knowledge.

Teachers who employ the book in class are advised to compile review exercises by referring to the Grammatical Notes.

Zhong Qin
Associate Professor
Peking Languages Institute

# 目　录
# CONTENTS

## 选　文　Text

# 语法注释 Grammatical Notes

# 语言注释 Language Notes

# 选文英译 English Translation

# 1

## 杨朱的哲学
### Yáng Zhū de zhéxué

杨朱有个弟弟叫杨布。有一天，杨布穿了
Yáng Zhū yǒu ge dìdi jiào Yáng Bù. Yǒu yī tiān, Yáng Bù chuānle

一套白颜色的衣服出门去。路上衣服叫雨给淋湿了，
yītào bái yánsède yīfu chū mén qù. Lùshang yīfu jiào yǔ gěi línshīle,

杨布就到一个朋友那里去借了一身衣服换上了。那套
Yáng Bù jiù dào yīge péngyou nàlǐ qù jièle yīshēn yīfu huànshangle. Nèitào

借来的衣服是黑颜色的。这样，穿着白颜色衣服出门
jièlai de yīfu shì hēi yánsède. Zhèyàng, chuānzhe bái yánsè yīfu chū mén

的杨布，回家时穿的却是一身黑颜色的衣服。
de Yáng Bù, huí jiā shí chuān de què shì yīshēn hēi yánsède yīfu.

杨家那只看门的狗，这一下可认不得杨布了。一
Yáng jiā nèizhī kān mén de gǒu, zhèi yīxià kě rènbude Yáng Bù le. Yī

见穿黑衣服的人跨进门来，以为是个陌生人，就汪汪地
jiàn chuān hēi yīfu de rén kuàjìn mén lái, yǐwéi shì ge mòshēngrén, jiù wāngwāngde

追着乱叫。
zhuīzhe luàn jiào.

杨布火了，大骂起来：
Yáng Bù huǒle, dà màqǐlai:

"他妈的！这畜生今天连我都不认得了！"他一边
"Tāmāde! Zhè chùsheng jīntiān lián wǒ dōu bú rènde le!" Tā yībiān

---

据《列子》改写。相传《列子》是战国时期（公元前475—前221年）道
家列御寇撰写的民间故事、寓言和神话传说集。

骂，一边拣起把扫帚要打狗。
mà, yībiān jiǎnqǐ ba sàozhou yào dǎ gǒu.

杨布的哥哥杨朱 正在 里屋读书，隔 窗 见弟弟
Yáng Bùde gēge Yáng Zhū zhèng zài lǐwū dú shū, gé chuāng jiàn dìdi

要打狗，赶紧跑出来拉住 杨 布，说：
yào dǎ gǒu, gǎnjǐn pǎochūlai lāzhù Yáng Bù, shuō:

"你打它干吗！假定 咱们的 这条 狗 出去的 时候
"Nǐ dǎ ta gànmá! Jiǎdìng zánmende zhèitiáo gǒu chūqu de shíhou

是白颜色的，回来的时候 变成了 只黑狗，你有本事一眼
shì bái yánsède, huílai de shíhou biànchéngle zhī hēi gǒu, nǐ yǒu běnshi yī yǎn

就认出它来吗？！"
jiù rènchu tā lai ma?!"

| 杨【楊】朱 | Yáng Zhū | *name of a philosopher* |
| 弟弟 | dìdi | younger brother |
| 叫 | jiào | call; called |
| 杨布 | Yáng Bù | *name of a person* |
| 有一天 | yǒu yī tiān | one day |
| 穿 | chuān | wear |
| 套 | tào | *measure word* (*m.w.*) suit; set; suite |
| 白 | bái | white |
| 颜色 | yánsè | colour |
| 衣服 | yīfu [套tào 身shēn] | clothes; clothing |
| 那 | nà (nèi, nè) | that |
| 出 | chū | out; go out |
| 门【門】 | mén | door |
| 路 | lù | road |
| 叫…给… | jiào . . . gěi . . . | by (*passive*) |
| 雨 | yǔ | rain |
| 淋 | lín | pour; drench |

2

| | | |
|---|---|---|
| 湿【濕】 | shī | wet |
| 借 | jiè | borrow; lend (*see* Grammatical Notes VI point 25) |
| 身 | shēn | *m.w.* suit |
| 换 | huàn | change; exchange |
| 黑 | hēi | black |
| 这【這】 | zhè (zhèi) | this |
| 这样【樣】 | zhèyàng | thus; in this way |
| 回家 | huíjiā | go back home |
| 时【時】 | shí | when; at the time when |
| 却 | què | yet; however |
| 只【隻】 | zhī | *m.w. for dog* |
| 看门 | kānmén | guard the entrance |
| 狗 | gǒu [只 zhī 条 tiáo] | dog |
| 这一下 | zhè yīxià | in this case; under this circumstance |
| 可 | kě | but; yet |
| 认【認】不得 | rènbude | cannot recognize |
| 一…就… | yī … jiù … | as soon as; no sooner … than … |
| 跨 | kuà | step across |
| 以为【爲】 | yǐwéi | think; assume; take sb. for |
| 陌生人 | mòshēngrén | stranger |
| 汪汪 | wāngwāng | bark; bowwow |
| 追 | zhuī | run after |
| 乱【亂】 | luàn | in disorder |
| 叫 | jiào | bark |
| 火 | huǒ | get angry |
| 骂 | mà | curse; swear |
| 他妈的 | tā māde | damn it; to hell with it |
| 畜生 | chùsheng | beast; dirty swine |
| 连【連】…都 (连【連】…也) | lián … dōu (lián … yě) | even |
| 认得 | rènde | know; recognize |

| | | |
|---|---|---|
| 不 | bù, bú | not (Bù is usually pronounced in the 4th tone, but when it is followed by another 4th tone, it is changed into the 2nd tone as in búrènde.) |
| 一边一边 | yībiān . . . yībiān | while; at the same time as |
| 拣【揀】 | jiǎn | pick up |
| 扫【掃】帚 | sàozhou [把bǎ] | broom |
| 打 | dǎ | hit; strike |
| 正 | zhèng | just; at that moment |
| 里屋 | lǐwū | inner room |
| 读书【讀書】 | dúshū | read; study |
| 隔 | gé | on the other side of sth. |
| 窗（户） | chuāng (hu) | window |
| 赶紧【趕緊】 | gǎnjǐn | hasten; lose no time |
| 跑 | pǎo | run |
| 拉住 | lāzhù | tug; drag; draw |
| 干【幹】吗 | gànmá | why; what for |
| 假定 | jiǎdìng | suppose |
| 咱们【們】 | zánmen | we |
| 条【條】 | tiáo | *m.w. for dog* |
| …的时候 | . . . de shíhou | when; at the time when |
| 变【變】成 | biànchéng | change into |
| 有本事 | yǒu běnshi | be able to |
| 一眼就认出来 | yī yǎn jiù rènchulai | make out at first glance |

# 2

## 找 羊 的 启 示
### Zhǎo yáng de qǐshì

一 天， 杨子的邻居跑丢了一只羊。
Yī tiān,　Yángzǐde línjū pǎodiūle　yìzhī yáng.

邻居跑来找 杨子，想 请他的仆人帮 忙去找 羊。
Línjū　pǎolái zhǎo Yángzǐ, xiǎng qǐng tāde　púrén bāng máng qù zhǎo yáng.

杨子很奇怪， 问：
Yángzǐ hěn qíguài,　wèn:

"你家有那么多人， 难道还不够吗？"
"Nǐ jiā yǒu nàme duō rén,　nándào hái bú gòu ma?"

邻居回答说：
Línjū　huídá shuō:

"我家的人都去找 羊了，我还请 堂兄 堂弟、
"Wǒ jiāde　rén dōu qù zhǎo yáng le,　wǒ hái qǐng tángxiōng tángdì,

表兄 表弟他们家的人去帮 忙 找了。这里岔路太多，
biǎoxiōng biǎodì tāmen jiāde rén qù bāng máng zhǎo le.　Zhèlǐ chà lù tài duō,

所以找的人也得多些才行。"
suǒ yǐ zhǎo de rén yě děi duō xie cái xíng."

杨子的仆人走了。过了半天，仆人回来了。杨子问：
Yángzǐde púrén zǒule.　Guòle bàntiān, púrén huílaile.　Yángzǐ wèn:

"羊 找到了？"
"Yáng zhǎodàole?"

---

据《列子》改写。参看第1页第一篇故事的注解。

"没找到，大家都回来了，我们也就回来了。"
"Méi zhǎodào, dàjiā dōu huílaile, wǒmen yě jiù huílaile."

"这么多人去找一只羊，怎么就找不着呢？"
"Zènme duō rén qù zhǎo yìzhī yáng, zěnme jiù zhǎobuzháo ne?"

"岔路太多了，岔路上又有岔路，谁知道羊到底
"Chàlù tài duō le, chàlùshang yòu yǒu chàlù, shéi zhīdao yáng dàodǐ

顺哪条岔路跑的？别说这么几个人，再去一百个也
shùn něitiáo chàlù pǎo de? Bié shuō zènme jíge rén, zài qù yībǎige yě

找不着那只羊！"
zhǎobuzháo nèizhī yáng!"

杨子若有所思，坐在书桌前一动不动，一个下午
Yángzǐ ruò yǒu suǒ sī, zuòzài shūzhuōqián yī dòng bú dòng, yīge xiàwǔ

都没 说一句话。他的弟子忍不住问他：
dōu méi shuō yíjù huà. Tāde dìzǐ rěnbuzhù wèn tā:

"老师，丢了只羊算 什么大事，再说，又不是
"Lǎoshī, diūle zhī yáng suàn shénme dà shì, zài shuō, yòu bú shì

你的羊，你为什么 这样 闷闷不乐呢？"
nǐde yáng, nǐ wèi shénme zhèiyàng mènmèn bú lè ne?"

杨子沉思地说：
Yángzǐ chénsīde shuō:

"不是为了那只羊。我是因为联想到我们的求学。
"Bú shì wèile nèizhī yáng. Wǒ shì yīnwèi liánxiǎngdào wǒmende qiúxué.

假使我们这些求学问的人，不能 专心致志，东抓一
Jiǎshǐ wǒmen zhèixiē qiú xuéwèn de rén, bù néng zhuān xīn zhì zhì, dōng zhuā yī

把，西抓一把，那不是跟岔路上 找 羊一样，最后只
bǎ, xī zhuā yī bǎ, nà bú shì gēn chàlùshang zhǎo yáng yīyàng, zuìhòu zhǐ

能 落个一无所得，一事无成 吗！这就是我整个儿下午
néng luò ge yī wú suǒ dé, yī shì wú chéng ma! Zhè jiù shì wǒ zhěngger xiàwǔ

一直在思考的问题。"
yìzhí zài sīkǎo de wèntí."

6

| | | |
|---|---|---|
| 羊 | yáng [只zhī] | sheep |
| 启【啓】示 | qǐshì | inspiration; enlightenment |
| 杨子 | Yángzǐ | *a respectful form of address for the philosopher Yáng Zhū* |
| 邻【鄰】居 | línjū | neighbour |
| 丢 | diū | lose |
| 仆【僕】人 | púrén | servant |
| 帮【幫】忙 | bāngmáng | help; lend a hand; do a favor |
| 奇怪 | qíguài | surprise; wonder |
| 那么【麼】 | nàme (nème) | so; that; such |
| 难【難】道 | nándào | Is it possible that . . .; How could it be . . . |
| 够 | gòu | enough; sufficient |
| 回答 | huídá | reply; answer |
| 堂兄 | tángxiōng | elder male cousin on the paternal side |
| 堂弟 | tángdì | younger male cousin on the paternal side |
| 表兄 | biǎoxiōng | elder male cousin on the maternal side or son (older than oneself) of the sister of one's father |
| 表弟 | biǎodì | younger male cousin on the maternal side or son (younger than oneself) of the sister of one's father |
| 这么【這麼】 | zènme (zhème) | so; such; this way; like this (In speaking, zhème is often pronounced as zènme.) |
| 岔路 | chàlù [条tiáo] | byroad; side road |
| 得 | děi | should; need |
| 才 | cái | then; (only under this condition) then |
| 行 | xíng | may do; will do |

7

| | | |
|---|---|---|
| 过【過】 | guò | pass |
| 半天 | bàntiān | half a day; a long time |
| 找到 | zhǎodào | find |
| 就 | jiù | then; just |
| 怎么 | zěnme | how; why |
| 找不着 | zhǎobuzháo | cannot find |
| 太 | tài | too; extremely; excessively |
| 到底 | dàodǐ | at last; finally |
| 顺 | shùn | along |
| 别说…再 | bié shuō … zài | even … let alone … |
| （别说…就是） | (bié shuō … jiùshi) | |
| 若有所思 | ruò yǒu suǒ sī | seem lost in thought |
| 书【書】桌 | shūzhuō | writing desk |
| 动【動】 | dòng | move |
| 一动不动 | yī dòng bú dòng | not stir; not move an inch |
| 下午 | xiàwǔ | afternoon |
| 句 | jù | sentence |
| 弟子 | dìzǐ | pupil; follower |
| 忍不住 | rěnbuzhù | cannot help (doing sth.) |
| 老师 | lǎoshī | teacher |
| 算 | suàn | regard as; consider |
| 事 | shì | matter; business |
| 再说 | zài shuō | furthermore; moreover |
| 为什么 | wèi shénme | why; for what |
| 闷闷不乐【樂】 | mènmèn bú lè | remain silent and unhappy |
| 沉思 | chénsī | meditate |
| 为了 | wèile | for |
| 因为 | yīnwèi | because |
| 联【聯】想 | liánxiǎng | connect in the mind |
| 求学【學】 | qiúxué | seek knowledge |
| 假使 | jiǎshǐ | if; in case |
| 求学问 | qiú xuéwèn | seek knowledge; pursue one's studies |

8

| | | |
|---|---|---|
| 专【專】心致志 | zhuān xīn zhì zhì | with single-hearted devotion; wholly absorbed |
| 东【東】 | dōng | east |
| 抓 | zhuā | grab |
| 把 | bǎ | *used as a verbal measure word denoting the action by one's hand* |
| 西 | xī | west |
| 最后【後】 | zuìhòu | at last; finally |
| 落 | luò | fall |
| 一无【無】所得 | yī wú suǒ dé | gain nothing |
| 一事无成 | yī shì wú chéng | accomplish nothing |
| 就是 | jiù shì | to be exactly; to be no other than |
| 整个【個】儿【兒】 | zhěnggèr | whole |
| 一直 | yīzhí | all the time; all along |
| 思考 | sīkǎo | think; ponder |
| 问题 | wèntí | question; problem |

# 3

## 好　眼　力
### Hǎo yǎnlì

有 两个 近视眼，不但 不 肯 承认 自己 近视，还
Yǒu liǎngge jìnshìyǎn, búdàn bù kěn chéngrèn zìjǐ jìnshi, hái

一个劲儿地 夸耀 自己的 眼 力。
yígejìnrde kuāyào zìjǐde yǎn lì.

有一天， 听说 庙里要 挂 新 匾 了,他俩约好一同去看
Yǒu yī tiān, tīngshuō miàoli yào guà xīn biǎn le, tā liǎ yuēhǎo yītóng qù kàn

匾， 比一比到底谁的 眼力强。约好 日子刚一分手，两个
biǎn, bǐyibǐ dàodǐ shéide yǎnlì qiáng. Yuēhǎo rìzi gāng yī fēn shǒu, liǎngge

人就 向 人打听去了。打听什么呢? 打听那块新 匾 上
rén jiù xiàng rén dǎting qùle. Dǎting shénme ne? Dǎting nèikuài xīn biǎnshang

写的是什么字。
xiě de shì shénme zì.

到了约定 的日子， 他俩一早就来到庙里。
Dàole yuēdìng de rìzi, tā liǎ yīzǎo jiù láidào miàoli.

第一个近视眼 向 挂 匾 的 地方瞟了一眼， 说:
Dì yīge jìnshìyǎn xiàng guà biǎn de dìfang piǎole yī yǎn, shuō:

"这不是写着 '光明 正直' 四个大字吗! "
"Zhè búshì xiězhe 'guāngmíng zhèngzhí' sìge dà zì ma!"

第二个近视眼 向 挂 匾 的 地方斜了一眼， 说:
Dì èrge jìnshìyǎn xiàng guà biǎn de dìfang xiéle yī yǎn, shuō:

---

据《笑林新雅》改写。

10

"'光明正直'四个字有斗那么大，谁看不见？这
"'Guāngmíng zhèngzhí' sìge zì yǒu dǒu nàme dà, shéi kànbujiàn? Zhè

两边 还有 小字，你能 看见 吗？" 他得意地用左 手向
liǎngbiān háiyǒu xiǎo zì, ní néng kànjian ma?" Tā déyìde yòng zuǒ shǒu xiàng

上 指了指，说："告诉你，这一行写的是'辛亥正月'，
shàng zhǐlezhǐ, shuō: "Gàosunǐ, zhèi yīháng xiě de shì 'Xīnhài Zhēngyuè',

是 襄阳 王大人王福堂的手笔。"
shì Xiāngyáng Wáng dàren Wáng Fútángde shǒubǐ."

这时候 旁边儿已围了不少看热闹的人。一个 人
Zhè shíhou pángbiānr yǐ wéile bù shǎo kàn rènao de rén. Yīge rén

哈哈大笑着走过来说：
hāhā dà xiàozhe zǒuguòlái shuō:

"二位 先生，你们说的这些字，都写在什么东西
"Erwèi xiānsheng, nímen shuō de zhèixiē zì, dōu xiězài shénme dōngxi

上边儿啊？要是 说 这是新 匾上的题词，那也许差不离，
shàngbianr a? Yàoshi shuō zhè shì xīn biǎnshangde tící, nà yěxǔ chàbulí,

我也听说了，不过，新 匾要 中午才挂出来呢！"
wǒ yě tīngshuōle, búguò, xīn biǎn yào zhōngwǔ cái guàchūlai ne!"

| 眼力 | yǎnlì | eyesight; vision |
| 近视眼 | jìnshìyǎn | shortsighted; myopia |
| 不但…还… | búdàn...hái... | not only ... but also (or: yet) ... |

| | | |
|---|---|---|
| 肯 | kěn | to be willing to |
| 承认【認】 | chéngrèn | admit |
| 自己 | zìjǐ | oneself; self |
| 近视 | jìnshì | shortsighted; nearsighted |
| 一个劲儿地 | yīgejìnrde | persistently |
| 夸【誇】耀 | kuāyào | brag about; show off |
| 听【聽】说 | tīngshuō | be told; hear of; hearsay |
| 庙【廟】 | miào | temple |
| 挂【掛】 | guà | hang |
| 匾 | biǎn [块kuài] | a horizontal inscribed board |
| 俩 | liǎ | two |
| 约 | yuē | make an appointment |
| 一同 | yītóng | together |
| 比 | bǐ | compete; match |
| 强 | qiáng | strong; better |
| 日子 | rìzi | day; date |
| 刚【剛】 | gāng | barely; only just |
| 分手 | fēnshǒu | say good-bye; part company |
| 打听 | dǎting | inquire about |
| 块【塊】 | kuài | piece *m.w. for board; plank* |
| 写【寫】 | xiě | write |
| 字 | zì | character |
| 约定 | yuēdìng | agree on |
| 一早 | yīzǎo | early in the morning |
| 第一 | dì yī | first |
| 瞟 | piǎo | look sidelong at; cast a sidelong glance at |
| 光明 | guāngmíng | bright; brightness |
| 正直 | zhèngzhí | upright; honest |
| 斜 | xié | look sideways at |
| 斗 | dǒu | *a Chinese measure which resembles a big dipper without a handle* |

| | | |
|---|---|---|
| 看不见 | kànbujiàn | cannot see |
| 两边【邊】 | liǎngbiān | two sides |
| 得意 | déyì | look triumphant |
| 用 | yòng | use |
| 左 | zuǒ | left |
| 手 | shǒu | hand |
| 向上 | xiàngshàng | upward |
| 指 | zhǐ | point at; point to |
| 告诉 | gàosu | tell |
| 行 | háng | line |
| 正月 | Zhēngyuè | the 1st month of the lunar year |
| 襄阳【陽】 | Xiāngyáng | *name of a city* |
| 大人 | dàren | His Excellency |
| 手笔【筆】 | shǒubǐ | some noted man's own handwriting |
| 旁边 | pángbiān | nearby; side |
| 已 | yǐ | already |
| 围【圍】 | wéi | surround |
| 看热【熱】闹 | kàn rènao | watch the fun |
| 哈哈大笑 | hāhā dàxiào | roar with laughter |
| 位 | wèi | *m.w. for persons* |
| 先生 | xiānsheng | sir; mister |
| 东西 | dōngxi | thing |
| 要是 | yàoshi | if |
| 题词 | tící | inscription; dedication |
| 也许 | yěxǔ | maybe; perhaps |
| 差不离 | chàbulí | not far off; just about right |
| 不过 | búguò | but |
| 中午 | zhōngwǔ | noon; midday |
| 呢 | ne | *particle, same as* 哪 |

# 4

## 帮 倒 忙 的 看 门 狗
### Bāng dàománg de kān mén gǒu

艾子吃完早饭，到门外散步，看见他的邻居用 扁担
Aìzǐ chīwán zǎofàn, dào ménwài sàn bù, kànjian tāde línjū yòng biǎndan

挑着 两只 死 狗 走过。 艾子 问：
tiāozhe liǎngzhī sǐ gǒu zǒuguò. Aìzǐ wèn:

"你 挑着 狗 上 哪儿 去 啊？"
"Nǐ tiāozhe gǒu shàng nǎr qù a?"

邻居 说：
Línjū shuō:

"到 集市上 去 卖去。"
"Dào jíshìshang qù mài qu."

艾子 问：
Aìzǐ wèn:

"这不是你家的 看 门 狗 吗？ 怎么 杀 了？
"Zhè bú shì nǐ jiāde kān mén gǒu ma? Zěnme shāle?"

邻居 放下 挑子， 指着 狗 狠狠地 说：
Línjū fàngxia tiāozi, zhǐzhe gǒu hěnhěnde shuō:

"这 两 只 畜生 光 会 吃， 家里 来 了 强盗， 它们 也
"Zhè liǎng zhī chùsheng guāng huì chī, jiāli láile qiángdào, tāmen yě

不 叫 一 声；来 了 小偷，它们 还是 一 声 不 叫。今天 一 大 早
bú jiào yī shēng; láile xiǎotōu, tāmen háishi yī shēng bú jiào. Jīntiān yīdàzǎo

据《艾子后语》改写。《艾子后语》是明朝（1368—1644年）戏曲家陆灼（1497—1537年）作的传奇故事。

14

来了几个客人， 它们倒 汪汪 叫个没完,还把客人 咬伤
láile jǐge kèren, tāmen dào wāngwāng jiàoge méi wán, hái bǎ kèren yǎoshāng

了一个。留着这样的看门狗有什么用啊！"
le yīge. Liúzhe zhèiyàngde kān mén gǒu yǒu shénme yòng a!"

艾子点点头， 连声 说：杀了好! 杀了好!
Aìzǐ diǎndiǎn tóu, liánshēng shuō: Shāle hǎo! Shāle hǎo!

| 帮倒忙 | bāng dàomāng | be more of a hindrance than a help |
| 艾子 | Aìzǐ | *name of a person* |
| 早饭 | zǎofàn | breakfast |
| 散步 | sànbù | take a walk; go for a stroll; prom-enade |
| 扁担 | biǎndan | shoulder pole |
| 挑 | tiāo | carry on the shoulder with a pole |
| 死 | sǐ | die; dead |
| 上 | shàng | go to |
| 集市 | jíshì | market; country fair |
| 不是…吗 | bú shì . . . ma | isn't that so; is it not |
| 怎么 | zěnme | how was it; why |
| 杀【殺】 | shā | kill |
| 放下 | fàngxia | put down |
| 狠狠地 | hěnhěnde | fiercely |
| 光 | guāng | only; nothing more |
| 强盗 | qiángdào | robber |
| 声【聲】 | shēng | voice; sound |
| 小偷 | xiǎotōu | thief |
| 还【還】是 | háishi | still; again |
| 一大早 | yīdàzǎo | early in the morning |
| 客人 | kèren | guest |
| 倒 | dào | on the contrary |

15

| | | |
|---|---|---|
| 叫个没完 | jiàoge méi wán | bark unceasingly |
| 咬 | yǎo | bite |
| 伤【傷】 | shāng | be wounded |
| 留【留】 | liú | keep; reserve |
| 点头【點頭】 | diǎntóu | nod |
| 连【連】声 | liánshēng | repeatedly; say sth. again and again |

# 5

## 阉了的更凶猛
### Yānle de gèng xiōngměng

太监 横 行不法、专 权误国的时候，人们 往往
Tàijiān héng xíng bù fǎ, zhuān quán wù guó de shíhou, rénmen wǎngwǎng

编一些笑话来讽刺抨击，发泄不满。
biān yīxiē xiàohua lái fěngcì pēngjī, fāxiè bùmǎn.

艾子家里养了两只 公羊， 公羊见了陌生人 常
Aìzǐ jiāli yǎngle liǎngzhī gōngyáng, gōngyáng jiànle mòshēngrén cháng

侧着头用角 撞人。 来拜访艾子的学生 常 常 被
cèzhe tóu yòng jiǎo zhuàng rén. Lái bàifǎng Aìzǐ de xuésheng chángcháng bèi

这 两只羊 撞伤。
zhè liǎngzhī yáng zhuàngshāng.

一天，学生们 同艾子商议：
Yī tiān, xuéshengmen tóng Aìzǐ shāngyì:

"公羊 生性 凶猛，总是爱拿角顶人。如果你把
"Gōngyáng shēngxìng xiōngměng, zǒngshi ài ná jiǎo dǐng rén. Rúguǒ nǐ bǎ

它们阉了，它们就不会那么凶 猛了，我们也就不会再被
tāmen yānle, tāmen jiù bú huì nàme xiōngměngle, wǒmen yě jiù bú huì zài bèi

它们 撞伤了。"
tāmen zhuàngshāngle."

艾子笑了，说：
Aìzǐ xiàole, shuō:

---

据《艾子后语》改写。参看第14页第四篇故事的注解。

"不,不! 如今阉了的, 不是更 凶猛 吗?!"
"Bù, bù! Rújīn yānle de, bú shì gèng xiōngměng ma?!"

| 阉 | yān | castrate; spay |
| 更 | gèng | more; even more |
| 凶【兇】猛 | xiōngměng | ferocious; fierce |
| 太监 | tàijiān | (court) eunuch |
| 横行不法 | héng xíng bù fǎ | tyrannizing and lawless |
| 专权【專權】 | zhuān quán | usurp authority |
| 误国【國】 | wù guó | bring calamity to the country |
| 人们 | rénmen | people |
| 往往 | wǎngwǎng | often; usually |
| 编 | biān | compose; compile; fabricate |
| 笑话 | xiàohua | joke |
| 讽【諷】刺 | fěngcì | mock; satirize |
| 抨击【擊】 | pēngjī | (in speech or writing) attack |
| 发【發】泄 | fāxiè | let off; air; give vent to |
| 不满 | bùmǎn | grievances; discontented |
| 养【養】 | yǎng | raise; keep; grow |
| 公羊 | gōngyáng | ram |
| 常 | cháng | often |
| 侧 | cè | lean; incline |
| 角 | jiǎo | horn |
| 撞 | zhuàng | dash; barge; rush |
| 拜访 | bàifǎng | visit |
| 同 | tóng | with |
| 商议【議】 | shāngyì | consult |
| 生性 | shēngxìng | natural disposition |
| 总【總】是 | zǒngshi | always |
| 爱【愛】 | ài | be apt to; be in the habit of; be fond of |

18

| 拿 | ná | use; with |
| 顶 | dǐng | gore; butt |
| 如果 | rúguǒ | if |
| 如今 | rújīn | nowadays |

# 6

## 认 亲 戚
### Rèn qīnqi

艾子和一个朋友一道出去遛马路。有人坐着轿子
Aìzi hé yīge péngyou yīdào chūqù liù mǎlù. Yǒu rén zuòzhe jiàozi

迎面而来，朋友把艾子拉到路边，说："这是我的一个
yíngmiàn ér lái, péngyou bǎ Aìzi lādào lùbiān, shuō: "Zhè shì wǒde yīge

亲戚，咱们在路边避一避吧，省得他下轿来跟我打招呼。"
qīnqi, zánmen zài lùbiān bìyibì ba, shěngde tā xià jiào lái gēn wǒ dǎ zhāohu."

走了不远，又有人坐着车 迎面而来，朋友又把艾子
Zǒule bù yuǎn, yòu yǒu rén zuòzhe chē yíngmiàn ér lái, péngyou yòu bǎ Aìzi

拉到路边，说："这是我的好 朋友，咱们在路边避一避吧，
lādào lùbiān, shuō: "Zhè shì wǒde hǎo péngyou, zánmen zài lùbiān bìyibì ba,

省得他下车来跟我打招呼。"
shěngde tā xià chē lái gēn wǒ dǎ zhāohu."

---

据《艾子外语》改写。《艾子外语》是一本传奇故事，作者是明朝（1368
—1644年）屠本畯。

20

一路走来，这位朋友总是那么一套话，那么一种
Yīlù zǒulái, zhèiwèi péngyou zǒngshi nàme yītào huà, nàme yīzhǒng

行动。
xíngdòng.

艾子心里好笑。一会儿，前面来了个要饭的，艾子
Àizǐ xīnli hǎoxiào. Yìhuǐr, qiánmian láile ge yào fàn de, Àizǐ

把朋友拉到路边，说："这是我的亲戚。"碰到一个耍
bǎ péngyou lādào lùbiān, shuō: "Zhè shì wǒde qīnqi." Pèngdào yīge shuǎ

把戏的，他又说："这是我的朋友。"
bǎxì de, tā yòu shuō: "Zhe shì wǒde péngyou."

艾子的朋友很奇怪，问艾子：
Àizǐde péngyou hěn qíguài, wèn Àizǐ:

"你哪来那么多 穷亲戚，穷 朋友？"
"Ní nǎ lái nàme duō qióng qīnqi, qióng péngyou?"

艾子说：
Àizǐ shuō:

"有 钱 有势的都 让你给认去了，我不就 剩下 这些
"Yǒu qián yǒu shì de dōu ràng ní gěi rènqule, wǒ bú jiù shèngxia zhèixiē

没 钱 没势的亲戚朋友了？"
méi qián méi shì de qīnqi péngyou le?"

| 认 | rèn | adopt; admit; recognize |
| 亲【親】戚 | qīnqi | relative |
| 一道 | yīdào | together |
| 遛马路 | liù mǎlù | stroll on the street |
| 轿【轎】子 | jiàozi | sedan (chair) |
| 迎面 | yíng miàn | head-on; in one's face |
| 而 | ér | *conj. which links the element of manner with the action* and |

21

| | | |
|---|---|---|
| 避 | bì | evade; avoid |
| 省得 | shěngde | so as to save or avoid |
| 下轿 | xià jiào | get off or descend the sedan |
| 打招呼 | dǎ zhāohu | greet |
| 远【遠】 | yuǎn | far |
| 总是 | zǒngshi | always |
| 一套话 | yītào huà | stereotype; the same stuff |
| 种【種】 | zhǒng | kind; sort |
| 行动 | xíngdòng | action; act |
| 心里 | xīnli | in one's heart |
| 好笑 | hǎoxiào | ridiculous; funny |
| 前面 | qiánmian | ahead; in front |
| 要饭的 | yào fàn de | beggar |
| 碰到 | pèngdào | meet |
| 耍把戏【戲】的 | shuǎ bǎxì de | wandering acrobat |
| 奇怪 | qíguài | strange; surprising; odd |
| 哪来 | nǎ lái | where from |
| 穷【窮】 | qióng | poor |
| 有钱【錢】 | yǒu qián yǒu | rich and influential |
| 　有势【勢】 | 　shì | |
| 让【讓】…给… | ràng...gěi... | by (*passive*) |
| 剩下 | shèngxia | remain; be left over |

# 7

## 永远不奉承人的焦琼
### Yǒngyuǎn bú fèngcheng rén de Jiāo Qióng

焦 琼 是个穷人， 他认识一个叫谭富的， 是个很有
Jiāo Qióng shì ge qióngrén, tā rènshi yīge jiào Tán Fù de, shì ge hěn yǒu

钱 的富翁。 有一天， 谭富问焦 琼：
qián de fùwēng. Yǒu yī tiān, Tán Fù wèn Jiāo Qióng:

"我有那么多的 钱，你为什么从来不肯 奉承 我呢？"
"Wǒ yǒu nàme duō de qián, nǐ wèi shénme cónglái bù kěn fèngcheng wǒ ne?"

焦 琼 说：
Jiāo Qióng shuō:

"你有钱， 又不肯白白地送 我， 我干吗要奉 承你
"Nǐ yǒu qián, yòu bù kěn báibáide sòng wǒ, wǒ gànmá yào fèngcheng nǐ

呢？ "
ne?"

"如果我把二成家产送给你， 你奉承 我吗？ "
"Rúguǒ wǒ bǎ èrchéng jiāchǎn sònggěi nǐ, nǐ fèngcheng wǒ ma?"

"那还是不 公平， 我不 奉承 你。"
"Nà háishi bù gōngping, wǒ bú fèngcheng nǐ."

"分一半给你， 你总肯 奉承我了吧？ "
"Fēn yībàn gěi nǐ, nǐ zǒng kěn fèngcheng wǒ le ba?"

"那样， 我和你就 平等了， 我为什么要去 奉承你
"Nàyàng, wǒ hé nǐ jiù píngděngle, wǒ wèi shénme yào qù fèngcheng nǐ

---

据《艾子外语》改写。参看第20页第六篇故事的注解。

呢？”
ne?"

“好，我把家产 全 都给你，你总该 奉承 我了！”
"Hǎo, wǒ bǎ jiāchǎn quán dōu gěi nǐ, nǐ zǒng gāi fèngcheng wǒ le!"

焦 琼 笑了，说：
Jiāo Qióng xiàole, shuō:

“那时候，我就是富翁了，也用不着再去 奉承 你
"Nà shíhou, wǒ jiù shì fùwēng le, yě yòngbuzháo zài qù fèngcheng nǐ

了。”
le."

| | | |
|---|---|---|
| 永远【遠】 | yǒngyuǎn | always; forever |
| 永远不 | yǒngyuǎn bú | never |
| 奉承 | fèngcheng | flatter; fawn upon |
| 焦琼【瓊】 | Jiāo Qióng | *name of a person* |
| 穷【窮】 | qióng | poor |
| 认识【認識】 | rènshi | recognize; know |
| 谭富 | Tán Fù | *name of a person* |
| 有钱 | yǒuqián | rich; wealthy |
| 富翁 | fùwēng | man of wealth |
| 从来 | cónglái | always; at all times |
| 从【從】来不 | cónglái bù | never |
| 肯 | kěn | be willing to; be ready to |
| 呢 | ne | *particle* |
| 白白地 | báibáide | for nothing; in vain |
| 送 | sòng | give as a present |
| 干吗 | gànmá | why; for what |
| 如果 | rúguǒ | if |
| 二成 | èrchéng | 20% |
| 家产【產】 | jiāchǎn | family property |
| 还【還】是 | háishi | still |

| | | |
|---|---|---|
| 公平 | gōngping | fair; equitable |
| 分 | fēn | divide; part; fall into |
| 一半 | yībàn | half |
| 总【總】 | zǒng | after all; anyway |
| 那样 | nàyàng (nèiyang) | thus; in that way; that |
| 平等 | píngděng | equal; equality |
| 全 | quán | all; total |
| 该 | gāi | ought to; should; most likely |
| 用不着 | yòngbuzháo | there is no need to; it is not necessary to |

# 8

## 反常的天气
### Fǎnchángde　tiānqì

一个冬天的夜里，将军在帐里喝酒。他的两旁点着
Yīge dōngtiānde yèli,　jiāngjūn zài zhàngli hē jiǔ.　Tāde liǎngpáng diǎnzhe

大蜡烛，桌子前面生着大火炉，再加酒喝多了，酒劲
dà làzhú,　zhuōzi qiánmian shēngzhe dà huǒlú,　zài jiā jiǔ hēduōle,　jiǔjìn

发作，将军头上竟冒出黄豆大的汗珠子来。
fāzuò,　jiāngjūn tóushang jìng màochu huángdòu dà de hànzhūzi lai.

将军一边擦汗，一边叹气说："天气太不正常了，
Jiāngjūn yībiān cā hàn,　yībiān tànqì shuō:　"Tiānqì tài bú zhèngcháng le,

现在该是大冷天了，却还这么热！"
xiànzài gāi shì dà lěng tiān le,　què hái zènme rè!"

帐外站岗的兵听到将军的这番话，进来对将军
Zhàngwài zhàngǎng de bīng tīngdào jiāngjūnde zhèifān huà,　jìnlai duì jiāngjūn

说：
shuō:

"我站岗的地方，天气倒还算正常，将军不
"Wǒ zhàn gǎng de dìfang,　tiānqì dào hái suàn zhèngcháng, jiāngjūn bú

信，不妨去试试。"
xìn,　bùfāng qù shìshi."

| | | |
|---|---|---|
| 反常 | fǎncháng | abnormal; unusual |
| 天气【氣】 | tiānqì | weather |

---

据明朝（1368—1644年）江盈科著《雪涛小书》改写。

| | | |
|---|---|---|
| 冬天 | dōngtiān | winter |
| 夜里【裡、裏】 | yèli | at night |
| 将军【將軍】 | jiāngjūn | general |
| 帐 | zhàng | tent |
| 喝 | hē | drink |
| 酒 | jiǔ | wine |
| 两旁 | liǎngpáng | both sides; either side |
| 点【點】 | diǎn | light; burn; kindle |
| 蜡烛【蠟燭】 | làzhú | candle |
| 桌子 | zhuōzi | table; desk |
| 前面 | qiánmian | in front of; before |
| 生 | shēng | light (a fire) |
| 火炉【爐】 | huǒlú | (heating) stove |
| 再 | zài | besides; moreover |
| 加 | jiā | add; in addition |
| 酒劲【勁】 | jiǔjìn | strength; energy; power |
| 发【發】作 | fāzuò | break out; show effect |
| 头【頭】 | tóu | head |
| 竟 | jìng | unexpectedly; go so far as to |
| 冒 | mào | emit; ooze, pass out |
| 黄豆 | huángdòu | soybean |
| 汗 | hàn | sweat |
| 珠子 | zhūzi | pearl; bead |
| 擦 | cā | wipe away; rub; scrub |
| 叹气【嘆氣】 | tànqì | sigh; heave a sigh |
| 正常 | zhèngcháng | normal |
| 大冷天 | dà lěng tiān | very cold days |
| 却 | què | however; but; yet |
| 热【熱】 | rè | hot |
| 站岗【崗】 | zhàngǎng | be on sentry duty |
| 兵 | bīng | soldier |
| 番 | fān | *m.w.* |

| | | |
|---|---|---|
| 地方 | dìfang | place |
| 倒 | dào | however; on the contrary |
| 算【算】 | suàn | consider; regard as |
| 信 | xìn | believe |
| 不妨 | bùfāng | might as well; there is no harm in |
| 试 | shì | try |

# GRAMMATICAL NOTES I

## An Outline of Modern Chinese Grammar

### I.  MORPHOLOGICAL FEATURES

Chinese words are classified into two categories:

*Notional Words* (or *Solid Words*)—实词  shící;

*Function Words* (or *Empty Words*)—虚词  xūcí.

*Notional Words* include:

nouns; pronouns; verbs; auxiliary verbs; adjectives; numerals; measure words.  Two Sub-categories: prefixes and suffixes.

*Function Words* include:

adverbs; prepositions; conjunctions; particles; interjections; onomatopoetic words.

*Nouns*  (名词  míngcí)

山 shān  琵琶 pípa  拖拉机 tuōlājī  老百姓 lǎobǎixìng

拍子 pāizi  石头 shítou  烙饼 làobǐng  民主 mínzhǔ

马桶 mǎtǒng  火车 huǒchē

时间名词  (*Nouns of Time*):  今天 jīntiān  刚才 gāngcái

方位名词  (*Nouns of Locality*):

上边 shàngbian (shàngbianr)  中间 zhōngjiān

专有名词  (*Proper Nouns*):

郭沫若 Guō Mòruò  南京 Nánjīng

*Pronouns*  (代词  dàicí)

人称代词  (*Personal Pronouns*):  我 wǒ  咱们 zánmen  人家 rénjia

疑问代词  (*Interrogative Pronouns*):  什么 shénme  哪儿 nǎr  哪 nǎ

指示代词  (*Demonstrative Pronouns*):  这 zhèi  那 nèi  每 měi

其他代词  (*Other Pronouns*):  其他 qítā  其余 qíyú

*Verbs* （动词 dòngcí）

及物动词 (*Transitive Verbs*): 看 kàn　惊动 jīndòng　改造 gǎizào
感动 gǎndòng

不及物动词 (*Intransitive Verbs*): 惊慌 jīnghuāng　清醒 qīngxǐng
屈服 qūfú　进步 jìnbù　失败 shībài　生长 shēngzhǎng
走动 zǒudòng　颤抖 chàndǒu

*Auxiliary Verbs* （助动词　zhùdòngcí）

可以 kěyǐ　应该 yīnggāi　肯 kěn　情愿 qíngyuàn　愿意 yuànyi

*Adjectives* （形容词　xíngróngcí）

大 dà　远 yuǎn　平 píng　富 fù　体面 tǐmian

非谓形容词 (*Non-predicate Adjectives*):
真正 zhēnzhèng　大概 dàgài　通常 tōngcháng

非定形容词 (*Non-attributive Adjectives*):
威风 wēifēng　德性 déxing　草包 cǎobāo　草鸡 cǎojī

*Numerals* （数词　shùcí）

一 yī　十 shí　千 qiān　万 wàn　半 bàn

*Measure Words* （量词 liàngcí）

名量词 (*Noun Measure Words*): 个 gè　张 zhāng　条 tiáo
把 bǎ　座 zuò

动量词 (*Verb Measure Words*): 次 cì　趟 tàng　回 huí

*Prefixes* （词头　cítóu）

阿 ā　老 lǎo

*Suffixes* （词尾　cíwěi）

头 tou　子 zi　们 men　儿 er(r)

*Adverbs* （副词　fùcí）

很 hěn　不 bù　都 dōu　刚 gāng　才 cái　立刻 lìkè

*Prepositions* （介词　jiècí）

从 cóng　对 duì　对于 duìyú　关于 guānyú

*Conjunctions* （连词　liáncí）

和 hé　同 tóng　但是 dànshì

*Particles* （助词　zhùcí）

结构助词 (*Structural Particles*): 的 de　得 de　地 de

语气助词 (*Modal Particles*): 吗 ma 呢 ne 吧 ba 啊 a

时态助词 (*Aspect Particles*): 了 le 着 zhe 过 guo

其他助词 (*Other Particles*): 罢了 bàle 而已 éryǐ

*Interjections* (叹词 tàncí)

喂 wèi 嗐 hài 嗨哟 hāiyō

*Onomatopoetic Words* (象声词 xiàngshēngcí)

当 dāng 唰唰（地）shuāshuā(de) 簌簌 sùsù

铿铿（地）kēngkēng(de)

## II. SYNTACTIC FEATURES

**1. The Component Parts of a Sentence**

1) *Subjects* (主语 zhǔyǔ) [see Grammatical Notes V]

第二天 一早，伯乐 果然 来 了。
Dièr tiān yī zǎo, Bólè guǒrán lái le.

匾 还没 挂 呢。
Biǎn hái méi guà ne.

河阳 县的 猪肉 味道 特别 好。
Héyáng xiàndé zhūròu wèidao tèbié hǎo.

鸿雁是 种 大鸟。
Hóngyàn shì zhǒng dà niǎo.

2) *Predicates* (谓语 wèiyǔ)

鸿雁是 种 大鸟。
Hóngyàn shì zhǒng dà niǎo.

伯乐 果然 来了。
Bólè guǒrán lái le.

他 妈妈 南方 人。
Tā māma nánfāng rén.

3) *Objects* (宾语 bīnyǔ)

苏 东坡 爱吃 肉。
Sū Dōngpō ài chī ròu.

鱼贩　送给 她 一条 鱼。
Yúfàn sònggěi tā yītiáo yú.

陈　某人 写 字 写得 好。
Chén mǒurén xiě zì xiěde hǎo.

4) *Attributives* （定语　dìngyǔ）

河 阳 县的 猪肉
Héyáng xiànde zhūròu

大 诗人
dà shīrén

苏 东坡 写 的 匾
Sū Dōngpō xiě de biǎn

刚 来 的 客人
gāng lái de kèren

5) *Adverbial Adjuncts* （状语　zhuàngyǔ）

伯乐 果然 来 了。
Bólè guǒrán lái le.

客人 刚 走。
Kèren gāng zǒu.

鱼贩 在 树 洞里 放了 一条 鱼。
Yúfàn zài shù dòngli fàngle yītiáo yú.

6) *Complements* （补语　bǔyǔ） [see Grammatical Notes IV]

情态补语 （*Descriptive Complements*）:

鸿雁 飞得 很 高。
Hóngyàn fēide hěn gāo.

结果补语 （*Resultative Complements*）:

肉 还 没 煮熟。
Ròu hái méi zhǔshóu.

趋向补语 （*Directional Complements*）:

匾 挂 起来 了。
Biǎn guà qǐlai le.

程度补语 (*Complements of Degree*):

诗人 气 极了。
Shīrén qì jíle.

动量补语 (*Complements of Frequencies of Action*):

他 吃过 一次 武昌鱼。
Tā chīguo yīcì Wǔchāngyú.

时量补语 (*Complements of Time*):

陈 先生 喝茶 整整 喝了一 上午。
Chén xiānsheng hē chá zhěngzhěng hēle yī shàngwǔ.

名词性补语 (*Objective Complements*):

屋子里 坐满了 人。
Wūzili zuòmǎnle rén.

2. Classification of Sentences

1) Classification Based on Structure

A. *S-P* (S-Subject/P-Predicate) *Sentences* 主谓句 zhǔwèijù

a. *P-verbs* (动词谓语句 dòngcí wèiyǔ jù):

他 喜欢 打猎。
Tā xǐhuan dǎ liè.

鸟 飞了。
Niǎo fēile.

哥哥 把 鸟 放了。
Gēge bǎ niǎo fàngle.

b. *P-adjectives* (形容词谓语句 xíngróngcí wèiyǔ jù):

味道 还 好 吗?
Wèidao hái hǎo ma?

c. *P-nouns* (名词谓语句 míngcí wèiyǔ jù):

孔夫子 山东 人。
Kǒngfūzi Shāndōng rén.

令尊 今年 多 大 岁数 了?
Lìngzūn jīnnián duō dà suìshu le?

**d.** *P-subject and predicate constructions* （主谓谓语句 zhǔ wèi wèiyǔ jù）:

金华　火腿　果然　味道　好。
Jīnhuá huǒtuǐ guǒrán wèidao hǎo.

这位　老　先生　火气　大。
Zhèiwèi lǎo xiānsheng huǒqì dà.

**B.** *Impersonal Sentences* 无主句　wúzhǔjù

下了　一天　雪，　总算　晴了。
Xiàle yītiān xuě, zǒngsuàn qíngle.

怎么，　下起　雨　来　了?
Zěnme, xiàqǐ yǔ lái le?

**C.** *Single-word Sentences* 独词句　dúcíjù

注意!
Zhùyì!

血!
Xiě!

**2)** Classification Based on Function

**A.** *Declarative Sentences* 陈述句　chénshùjù

下　雨　了。
Xià yǔ le.

**B.** *Interrogative Sentences* 疑问句　yíwènjù

下　雨　了　吗?
Xià yǔ le ma?

是　下　雨　还是　下　雪　呢?
Shì xià yǔ háishi xià xuě ne?

是　不　是　下　雨　了?
Shì bu shì xià yǔ le?

要是　下　雨，你　还　去　不　去?
Yàoshi xià yǔ, nǐ hái qù bu qù?

34

哎呀，我的 钥匙 呢？
Aīyā, wǒde yàoshi ne?

C. *Imperative Sentences* 祈使句 qíshǐjù

别 把 书 撕坏 了！
Bié bǎ shū sīhuài le？

喂， 轻 一点儿！
Wèi, qīng yīdiǎnr!

请 勿 倒 置！
Qǐng wù dào zhì!

D. *Exclamatory Sentences* 感叹句 gǎntànjù

这座 楼 多 高 啊！
Zhèizuò lóu duō gāo a!

多 了不起！
Duō liǎobuqǐ!

# 9

## 卖 马 的 好 办 法
### Mài mǎ de hǎo bànfǎ

有一个人牵了匹马到 市场上 去卖。他在 市场上
Yǒu yīge rén qiānle pí mǎ dào shìchǎngshang qù mài. Tā zài shìchǎngshang

站了三天， 都没 有人来买。第四天， 他到伯乐那里去，
zhànle sān tiān, dōu méi yǒu rén lái mǎi. Dìsì tiān, tā dào Bólè nàlí qù,

对伯乐说：
duì Bólè shuō:

"我对您没有别的要求， 只想 请 先生 到我的马 站
"Wǒ duì nín méi yǒu biéde yāoqiú, zhǐ xiǎng qǐng xiānsheng dào wǒde mǎ zhàn

的地方去走一走： 去的时候，看看我的马； 走过去之后，
de dìfang qù zǒuyizǒu: qù de shíhou, kànkan wǒde mǎ; zǒuguòqu zhīhòu,

再回头 看我们一眼就行了。"
zài huí tóu kàn wǒmen yī yǎn jiù xíng le."

第五天一早， 伯乐果然来了。他走近那匹马 站的地
Dìwǔ tiān yīzǎo, Bólè guǒrán láile. Tā zǒujìn nèipí mǎ zhàn de dì-

方，从头到尾把马打量了一番； 走过去之后， 又回头
fang, cóng tóu dào wěi bǎ mǎ dǎliangle yìfān; zǒuguòqu zhīhòu, yòu huí tóu

朝 那匹马 望了一望， 就走了。
cháo nèipí mǎ wàngleyīwàng, jiù zǒule.

伯乐走出去还不到十步路， 立刻拥过来许多人，把那
Bólè zǒuchūqu hái bú dào shíbù lù, lìkè yōngguòlai xǔduō rén, bǎ nèi

---

据《战国策》改写。《战国策》是战国时期（公元前475—前221年）游说
之士的策谋和言论的汇编，为西汉（公元前206—公元25年）末刘向所编。

匹马围得个水泄不通。大家 向 马的主人提了无数的问
pǐ mǎ wéidege shuǐ xiè bù tōng. Dàjiā xiàng mǎde zhǔrén tíle wúshù de wèn

题，争着要买这匹伯乐曾经看过的马。到了中午，这
tí, zhēngzhe yào mǎi zhèipí Bólè céngjīng kànguo de mǎ. Dàole zhōngwǔ, zhèi-

匹马的价钱提高了十倍。
pǐ mǎde jiàqian tígāole shíbèi.

| 马 | mǎ [匹 pǐ] | horse |
|---|---|---|
| 办法 | bànfǎ | method; way |
| 牵 | qiān | lead along |
| 市场【場】 | shìchǎng | marketplace |
| 伯乐 | Bólè | *a well-known connoisseur of horses* |
| 要求 | yāoqiú | request |
| 看一眼 | kàn yīyǎn | have a look; glimpse |
| 果然 | guǒrán | as expected; really |
| 从头到尾 | cóng tóu dào wěi | from head to tail; from the beginning to the end |
| 打量 | dǎliang | look sb. or sth. up and down; measure with one's eyes |
| 回头 | huítóu | turn one's head |
| 朝 | cháo | toward; to |
| 望 | wàng | look ahead |

37

| | | |
|---|---|---|
| 步 | bù | step |
| 立刻 | lìkè | immediately; at once |
| 拥 | yōng | swarm; throng |
| 许多 | xǔduō | many |
| 围【圍】 | wéi | enclose; surround |
| 水泄不通 | shuǐ xiè bù tōng | not even a drop of water could trickle through |
| 提问【問】题 | tí wèntí | raise question |
| 无数 | wúshù | countless |
| 争着 | zhēngzhe | strive to outdo (sb.); vying with each other; in eager rivalry |
| 曾经 | céngjīng | some time in the past (sth. took place) |
| 中午 | zhōngwǔ | midday |
| 价【價】钱 | jiàqian | price |

# 10

## "弹" 就 是 "弹"
### "Dàn" jiù shì "dàn"

有人在 梁王 面前 嘲笑惠子：
Yǒu rén zài Liángwáng miànqián cháoxiào Huìzǐ:

"这个惠子， 说 话爱用比喻， 假使不准他用比喻，
"Zhège Huìzǐ, shuōhuà ài yòng bǐyù, jiǎshǐ bù zhǔn tā yòng bíyù,

他一定什么也说不明白了。"
tā yīdìng shénme yě shuōbumíngbai le."

第二天， 梁王 碰见 惠子， 就对他说：
Dì'èr tiān, Liángwáng pèngjiàn Huìzǐ, jiù duì tā shuō:

"你以后讲话， 就直截了当地说，不要再用 比喻了。"
"Nǐ yǐhòu jiǎnghuà, jiù zhíjiéliǎodàngde shuō, bú yào zài yòng bǐyù le."

惠子说：
Huìzǐ shuō:

"现在有个人， 不知道 "弹" 是什么样的一种东西。
"Xiànzài yǒu ge rén, bù zhīdào "dàn" shì shénmeyàngde yīzhǒng dōngxi.

你告诉他， "弹" 就是 "弹"， 他听得明白吗？"
Nǐ gàosu tā, "dàn" jiù shì "dàn", tā tīngdemíngbai ma?"

梁王 说：
Liángwáng shuō:

"那怎么 能 明白 呢！"
"Nà zěnme néng míngbai ne!"

---

据《说苑》改写。《说苑》是一本关于历史和儒家思想的书，由西汉（公
元前206—公元25年）末刘向撰。

惠子说：
Huìzǐ shuō:

"如果我告诉他，弹的 形状 像弓，弦是用竹子做
"Rúguǒ wǒ gàosu tā, dànde xíngzhuàng xiàng gōng, xián shì yòng zhúzi zuò

的，是一种射具，我这样 说，他能 明白 吗？"
de, shì yìzhǒng shèjù, wǒ zhèiyàng shuō, tā néng míngbai ma?"

梁王 说：
Liángwáng shuō:

"可以明白了。"
"Kěyi míngbai le."

惠子说：
Huìzǐ shuō:

"用 别人所已经了解的，来比喻他还不了解的，目的
"Yòng biéren suǒ yǐjing liǎojiě de, lái bǐyù tā hái bù liǎojiě de, mùdì

是要使他了解。你让我说话不用比喻，那怎么行呢？"
shì yào shǐ tā liǎojiě. Nǐ ràng wǒ shuōhuà bú yòng bǐyù, nà zěnme xíng ne?"

梁王 说：
Liángwáng shuō:

"你说得对呀！"
"Nǐ shuōde duì ya!"

| 弹【彈】 | dàn | instrument which resembles a sling-shot or catapult |
| 梁王 | Liángwáng | Duke of Liang |
| 面前 | miànqián | before (sb.); at the presence of (sb.) |
| 嘲笑 | cháoxiào | laugh at; jeer at |
| 惠子 | Huìzǐ | *name of a person* |
| 说话 | shuōhuà | speak; talk |
| 比喻 | bǐyù | metaphor; analogy; be likened to |
| 假使 | jiǎshǐ | suppose |

40

| | | |
|---|---|---|
| 准 | zhǔn | permit; allow |
| 一定 | yīdìng | surely; certainly |
| 什么也…不… | shénme yě … bù … | nothing; not a single one; not in the least |
| 明白 | míngbai | clear; make clear; understand |
| 碰见 | pèngjiàn | meet |
| 以后【後】 | yǐhòu | later; later on; afterwards |
| 讲【講】话 | jiǎnghuà | speak; speech; talk |
| 直截了当【當】 | zhíjiéliǎodàng | straightforward |
| 如果 | rúguǒ | if |
| 告诉 | gàosu | tell |
| 形状【狀】 | xíngzhuàng | form; shape |
| 像 | xiàng | be like; resemble |
| 弓 | gōng | bow |
| 弦 | xián | bowstring |
| 竹子 | zhúzi | bamboo |
| 做 | zuò | make |
| 射具 | shèjù | shooting implement |
| 别人 | biéren | others |
| 所 | suǒ | *a pre-verb supplementary element* |
| 已经 | yǐjing | already |
| 了解 | liǎojiě | know; comprehend |
| 目的 | mùdì | aim; purpose |
| 使 | shǐ | make; render; cause sth. to be (in some condition) |
| 让【讓】 | ràng | ask; make |
| 呀 | ya | *particle* |

# 11

## 外科与内科
### Wàikē yǔ nèikē

一员武将作战时中了一箭。他找到一个医生给他
Yīyuán wǔjiàng zuò zhàn shí zhòngle yī jiàn.　Tā zhǎodào yīge yīshēng gěi tā

医治。
yīzhì.

这位医生自称是"外科权威"，外科的任何疑难杂
Zhèiwèi yīshēng zìchēng shì 　"wàikē quánwēi", 　　wàikēde rènhé yínán zá

症他都能治。武将把伤势对他一讲，他连说三声
zhèng tā dōu néng zhì.　Wǔjiàng bǎ shāngshì duì tā yī jiǎng, tā lián shuō sān shēng

"好治"。只见他拿来一把大剪刀，"喀嚓"一声就把
"hǎo zhì".　Zhǐ jiàn tā nálai yībǎ dà jiǎndāo, 　"kāchā" 　yī shēng jiù bǎ

据明朝（公元1368—1644年）江盈科著《雪涛小说》改写。

露在皮肉外面的箭杆剪掉了。 他用 两只手指头捏着箭
lùzài　　píròu　wàimiande jiàngǎn jiǎndiàole.　Tā yòng liǎngzhī shǒuzhítou niēzhe jiàn-

杆，对武将 说：
gǎn，　duì wǔjiàng shuō:

"怎么样？我这外科医生名不虚传吧？不到一袋 烟
"Zěnmeyàng?　Wǒ zhè wàikē yīshēng míng bù xū chuán ba?　Bú dào yīdài yān-

的功夫就给你把病治好了。"
de　gōngfu jiù gěi　nǐ bǎ bìng zhìhǎole."

武将哭丧着脸问：
Wǔjiàng kūsangzhe liǎn wèn:

"那箭头还在肉里呢，可怎么办呢？
"Nà jiàntóu hái zài　ròuli ne,　·　kě zěnme bàn ne?"

这位"外科权威"说：
Zhèiwèi　"wàikē quánwēi" shuō:

"肉里的事不归我外科医生管，你去找内科医生看
"Ròulide　shì bù guī wǒ wàikē yīshēng guǎn,　nǐ qù zhǎo nèikē yīshēng kàn

吧！"
ba!"

| 外科 | wàikē | surgical department |
|---|---|---|
| 与【與】 | yǔ | and |
| 内科 | nèikē | department of internal medicine |
| 员 | yuán | *m.w. for warrior* |
| 武将 | wǔjiàng | warrior; general |
| 作战【戰】 | zuòzhàn | fight; engage |
| 时【時】 | shí | at the time when; when |
| 中箭 | zhòngjiàn | be hit by an arrow |
| 找到 | zhǎodào | find |
| 医【醫】生 | yīshēng | doctor |
| 医治 | yīzhì | cure; treat |
| 位 | wèi | *m.w. for person, a polite form* |
| 自称【稱】 | zìchēng | claim to be; call oneself |

| | | |
|---|---|---|
| 权【權】威 | quánwēi | a person of authority |
| 任何 | rènhé | any; whichever; whatever |
| 疑难杂症 | yínán zá zhèng | difficult and complicated cases of illness |
| 治 | zhì | cure |
| 伤势【傷勢】 | shāngshì | the condition of a wound |
| 连 | lián | in succession; one after another |
| 好治 | hǎo zhì | easy to cure; easy to treat |
| 拿 | ná | take |
| 把 | bǎ | m.w. |
| 剪刀 | jiǎndāo [把bǎ] | scissors |
| 喀嚓 | kāchā | crack; snap |
| 露 | lù | reveal; show |
| 皮 | pí | skin |
| 肉 | ròu | flesh |
| 箭杆 | jiàngǎn | arrow shaft |
| 剪掉 | jiǎndiào | cut off with scissors |
| 手指头 | shǒuzhítou [只zhī] | finger |
| 捏 | niē | hold between the fingers |
| 名不虚传【傳】 | míng bù xū chuán | live up to one's reputation |
| 一袋烟的工夫 | yīdài yānde gōngfu | for a short time; it takes only a few minutes |
| 病 | bìng | illness |
| 治好 | zhìhǎo | to be cured |
| 哭丧着脸 | kūsangzhe liǎn | put on a long face |
| 箭头 | jiàntóu | arrowhead |
| 归【歸】 | guī | put in sb.'s charge |
| 外科医生 | wàikē yīshēng | surgeon |
| 管 | guǎn | be in charge of; manage |
| 内科医生 | nèikē yīshēng | physician |

44

# 12

## 袖子 的 作 用
### Xiùzide　　 zuòyòng

有一个新上任的县官当着众人的面宣布：
Yǒu yīge xīn shàngrèn de xiànguān dāngzhe zhòngrénde miàn xuānbù:

"我当县官，这不是头一回了，你们可以去打听，谁
"Wǒ dāng xiànguān, zhè bú shì tóu yī huí le, nǐmen kěyǐ qù dǎting, shéi

不知道我是天字第一号的清官？老天爷在上，今后我
bù zhīdao wǒ shì tiān zì dìyī hàode qīngguān? Lǎotiānyé zài shàng, jīnhòu wǒ

要是左手接受贿赂，就让我的左手烂掉；右手接受
yàoshi zuǒ shǒu jiēshòu huìlù, jiù ràng wǒde zuǒ shǒu làndiào; yòu shǒu jiēshòu

贿赂，就让右手烂掉。"
huìlù, jiù ràng yòu shǒu làndiào."

过了不几天，一个下级给他送来一百两银子。看着这
Guòle bù jǐ tiān, yīge xiàjí gěi tā sònglái yībǎiliǎng yínzi. Kànzhe zhè

白花花的银子，县官的心痒得难受，嘴里却说："我对
báihuāhuā de yínzi, xiànguānde xīn yǎngde nánshòu, zuǐlǐ què shuō: "Wǒ duì

天起过誓，哪只手拿你这银子，哪只手就要烂掉的。"
tiān qǐguo shì, něizhī shǒu ná nǐ zhè yínzi, něizhī shǒu jiù yào làndiào de."

县官手下有个人跟随他已多年，早明白了县官老
Xiànguān shǒuxià yǒu ge rén gēnsuí tā yǐ duōnián, zǎo míngbaile xiànguān lǎo-

爷的心事。他说：
yede xīnshì. Tā shuō:

---

据《雪涛小说》改写。参看第42页第十一篇故事的注解。

"老爷，让他把银子放在您的袖子里吧！烂掉一只袖
"Lǎoye, ràng tā bǎ yínzi fàngzài nínde xiùzili ba! Làndiào yīzhī xiù-

子有什么要紧呢！"
zi yǒu shénme yàojín ne!"

县官 笑咪咪地把袖子伸了出去。
Xiànguān xiàomīmīde bǎ xiùzi shēnle chūqu.

| 袖子 | xiùzi | sleeve |
|---|---|---|
| 作用 | zuòyòng | function |
| 新 | xīn | newly |
| 上任 | shàngrèn | assume office |
| 县【縣】官 | xiànguān | county magistrate |
| 当【當】着…面 | dāngzhe . . . miàn | in sb.'s presence; to sb.'s face |
| 众【衆】人 | zhòngrén | everybody |
| 宣布 | xuānbù | declare; announce |
| 当 | dāng | to be; work as; serve as |
| 头【頭】一回 | tóu yī huí | the first time |
| 打听【聽】 | dǎting | inquire about; ask about |
| 天字第一号【號】 | tiān zì dìyī hào | the first one in the world |
| 清官 | qīngguān | honest and upright official |
| 老天爷【爺】 | lǎotiānyé | Heavens |
| 今后 | jīnhòu | afterwards; in the days to come |

| | | |
|---|---|---|
| 接受 | jiēshòu | receive; accept |
| 贿赂 | huìlù | bribery |
| 烂【爛】掉 | làndiào | rot; fester |
| 右 | yòu | right |
| 不几【幾】天 | bù jǐ tiān | a few days |
| 下级 | xiàjí | subordinate |
| 两 | liǎng | teal, a unit of weight for silver |
| 银子 | yínzi | silver |
| 白花花 | báihuāhuā | shining white; gleaming (silver) |
| 心 | xīn | heart |
| 痒【癢】 | yǎng | itch; tickle |
| 难受 | nánshòu | feel ill; feel unwell |
| 嘴 | zuǐ | mouth |
| 天 | tiān | sky; Heavens |
| 起誓 | qǐshì | take an oath; swear |
| 哪 | nǎ; něi | which |
| 手下 | shǒuxià | under (sb.'s) leadership |
| 跟随【隨】 | gēnsuí | follow |
| 已 | yǐ | already |
| 多年 | duōnián | many years |
| 老爷 | lǎoye | master; lord |
| 心事 | xīnshì | worry |
| 放 | fàng | put |
| 要紧 | yàojǐn | important; matter |
| 笑咪咪 | xiàomīmī | smilingly |
| 伸 | shēn | stretch; extend |

# 13

## 专 治 驼 背
### Zhuān zhì tuóbèi

有个自称能治驼背的人，在街上挂了一块招牌：
Yǒu ge zìchēng néng zhì tuóbèi de rén, zài jiēshang guàle yīkuài zhāopai:

"本人专治驼背：无论驼得像弓，像虾，像淘箩还是
"Běnrén zhuān zhì tuóbèi: wúlùn tuóde xiàng gōng, xiàng xiā, xiàng táoluó háishi

像饭锅的，无所不治，手到病除。"
xiàng fànguō de, wú suǒ bú zhì, shǒu dào bìng chú."

有个驼背一见招牌，喜出望外，就跑去请他医治。
Yǒu ge tuóbèi yī jiàn zhāopai, xí chū wàng wài, jiù pǎoqù qǐng tā yīzhì.

挂招牌的不开药方，不问病情，只是拿出两块木板。
Guà zhāopai de bù kāi yàofāng, bú wèn bìngqíng, zhǐ shì náchū liǎngkuài mùbǎn.

他把一块放在地上，叫驼背趴在板上，另一块压在驼
Tā bǎ yīkuài fàngzài dìshang, jiào tuóbèi pāzài bǎnshang, lìng yīkuài yāzài tuó-

背身上，然后用粗绳把两块木板捆紧。他跳上板去，
bèi shēnshang, ránhòu yòng cūshéng bǎ liǎngkuài mùbǎn kǔnjǐn. Tā tiàoshàng bǎn qù,

乱蹦乱跳，一会儿工夫，驼背就给直过来了，但是
luàn bèng luàn tiào, yīhuìr gōngfu, tuóbèi jiù gěi zhíguòláile, dànshì

那个驼背也早已一命归天了。
néige tuóbèi yě zǎo yǐ yī mìng guī tiān le.

驼背的家属来找这位"医生"算帐，"医生"说：
Tuóbèide jiāshǔ lái zhǎo zhèiwèi "yīshēng" suànzhàng, "yīshēng" shuō:

---

据《雪涛小说》改写。参看第42页第十一篇故事的注解。

"我的招牌 说的明明白白，只管 治驼背，治死治活，
"Wǒde zhāopai shuō de míngmíngbáibái,　zuǐ guǎn zhì tuóbèi,　zhǐsǐ zhìhuó,

我可管不了。"
wǒ　kě guǎnbuliǎo."

| | | |
|---|---|---|
| 专【專】 | zhuān | special; focussed on some definite subject |
| 驼背 | tuóbèi | humpbacked |
| 街 | jiē | street |
| 挂【掛】 | guà | hang |
| 块【塊】 | kuài | *m.w. for signboard, plank, etc.* |
| 招牌 | zhāopai | signboard |
| 本人 | běnrén | I; oneself; in person |
| 无论【無論】 | wúlùn | no matter how or what, etc.; regardless of |
| 驼 | tuó | humpbacked |
| 弓 | gōng | bow |
| 虾【蝦】 | xiā | shrimp |
| 淘箩【籮】 | táoluó | a bamboo basket for washing rice in |
| 饭锅 | fànguō | cauldron; rice cooker |
| 无所不治 | wú suǒ bú zhì | there is no disease that (he) cannot cure |
| 除 | chú | get rid of; eliminate |
| 喜出望外 | xǐ chū wàng wài | be pleasantly surprised |
| 开药【藥】方 | kāi yàofāng | write out a prescription |
| 病情 | bìngqíng | patient's condition |
| 木板 | mùbǎn | plank |
| 地 | dì | ground |
| 趴 | pā | lie on one's stomach |
| 另 | lìng | the other |
| 压【壓】 | yā | press |
| 身 | shēn | body |

49

| | | |
|---|---|---|
| 然后 | ránhòu | after that; then |
| 粗 | cū | thick |
| 绳【繩】 | shéng | rope |
| 捆 | kǔn | tie up; bind |
| 紧 | jǐn | tight |
| 跳 | tiào | jump |
| 乱【亂】 | luàn | in disorder; random |
| 蹦 | bèng | leap; jump; bouncing |
| 工夫 | gōngfu | time |
| 给 | gěi | to be (*passive*) |
| 直 | zhí | straighten |
| 一命归天 | yī mìng guī tiān | die; kick the bucket |
| 家属【屬】 | jiāshǔ | family members; family dependents |
| 算帐 | suànzhàng | get even with sb.; settle accounts with sb. |
| 只 | zhǐ | only |
| 死 | sǐ | die |
| 活 | huó | live; alive |
| 管不了 | guǎnbuliǎo | cannot guarantee |

# 14

## 大　使
### Dàshǐ

齐国的晏子，　出使到楚国去。楚王 听说晏子来当大
Qíguóde Yànzǐ,　　chūshǐdào Chǔguó qù. Chǔwáng tīngshuō Yànzǐ lái dāng dà-

使，有意要 当着晏子的 面侮辱齐国。
shǐ,　　yǒuyì yào dāngzhe Yànzǐde miàn wǔrǔ Qíguó.

一天，楚王摆了酒席，招待晏子。正当他们吃得高
Yī tiān,　Chǔwáng bǎile jiǔxí,　zhāodài Yànzǐ. Zhèng dāng tāmen chīde gāo-

兴的时候，有两个小 官 绑着 一个犯人来见楚王。
xìng de shíhou,　yǒu liǎngge xiǎo guān bǎngzhe　yīge fànrén lái jiàn Chǔwáng.

楚王 故意问道：
Chǔwáng gùyì wèndào:

"这人犯了什么罪？"
"Zhèi rén fànle shénme zuì?"

小　官回答说：
Xiǎo guān huídá shuō:

"他是一个强盗！他是齐国人。"
"Tā shì yīge qiángdào! Tā shì Qíguórén."

楚王 回头对晏子说：
Chǔwáng huítóu duì Yànzǐ shuō:

"原来齐国人是惯于 当 强盗 的。"
"Yuánlái Qíguórén shì guànyú dāng qiángdào de."

---

据《晏子春秋》改写。《晏子春秋》传说是春秋时（公元前770—前476年）
齐国晏婴作，实际是后人撰写的关于晏婴的言行。

晏子站起来答道:
Yànzǐ   zhànqǐlai   dádào:

"大王, 我 听说 生长在 淮南 的橘树, 移植到 淮北
"Dàiwáng,   wǒ tīngshuō shēngzhǎngzài Huáinán de júshù,   yízhídào Huáiběi

就会 变成 枳树。 从 外表上 看, 橘和枳的叶子是一样
jiù huì biànchéng zhíshù.   Cóng wàibiǎoshang kàn,   jú hé zhíde   yèzi shì yīyàng-

的, 但这 两种果子的味道却 完全 不同。我们 齐国的
de,   dàn zhè liǎngzhǒng guǒzide wèidao què wánquán bù tóng.  Wǒmen   Qíguóde

老百姓从来不做 强盗, 一到楚国就干起犯罪的勾当来,
lǎobǎixìng cónglái bú zuò qiángdào,   yī dào Chǔguó jiù gànqǐ fànzuì de gòudang lai,

我看, 这也许是水土的关系吧。"
wǒ kàn,   zhè yěxǔ shì shuítǔde guānxi ba."

楚王 一句话 都说不出来了。
Chǔwáng   yījù huà dōu shuōbuchūlai le.


| 大使 | dàshǐ | ambassador |
| 晏子 | Yànzǐ | *name of a person* |
| 齐【齊】国 | Qíguó | the State of Qi |
| 出使 | chūshǐ | serve as an envoy abroad |
| 楚国 | Chǔguó | the State of Chu |
| 当 | dāng | to be; to work as |
| 有意 | yǒuyì | intentionally |
| 侮辱 | wǔrǔ | humiliate; insult |
| 摆【擺】酒席 | bǎi jiǔxí | give a feast to |
| 招待 | zhāodài | entertain |
| 正 | zhèng | just; exactly |
| 当…的时候 | dāng... deshí- hou | at the time when; while |
| 官 | guān | official |
| 绑 | bǎng | bind sb.'s hands behind him; truss up |

52

| 犯人 | fànrén | criminal |
|------|--------|----------|
| 故意 | gùyì | intentionally |
| 道 | dào | say; saying |
| 犯罪 | fànzuì | commit crime |
| 强盗 | qiángdào | robber |
| 回头 | huítóu | turn one's head |
| 原来 | yuánlái | it turns out that |
| 惯于 | guànyú | accustomed to; used to |
| 站起来 | zhànqǐlai | stand up; rise |
| 大王 | dàiwáng | magnate |
| 生长 | shēngzhǎng | grow |
| 淮南 | Huáinán | to the south of Huai River |
| 橘树【樹】 | júshù | orange tree; tangerine tree |
| 移植 | yízhí | transplant |
| 淮北 | Huáiběi | to the north of Huai River |
| 变【變】成 | biànchéng | change into; transform into |
| 枳树 | zhǐshù | trifoliate orange tree |
| 外表 | wàibiǎo | outward appearance |
| 叶【葉】子 | yèzi | leaf |
| 一样【樣】 | yīyàng | the same |
| 果子 | guǒzi | fruit |
| 味道 | wèidao | taste |
| 完全 | wánquán | completely |
| 不同 | bù tóng | not the same; different |
| 老百姓 | lǎobǎixìng | common people |
| 一…就… | yī...jiù... | as soon as |
| 干起…来 | gànqǐ...lai | begin to do |
| 勾当 | gòudang | deal; activities; business |
| 也许 | yěxǔ | perhaps; maybe |
| 水土 | shuǐtǔ | environment and climate |
| 关系【關係】 | guānxi | reason; relation; affect |

# 15

## 唇枪舌剑
### Chún qiāng shé jiàn

楚王 对齐国的大使晏子说：
Chǔwáng duì Qíguóde dàshǐ Yànzǐ shuō:

"你们齐国太没有人了！"
"Nǐmen Qíguó tài méi yǒu rén le!"

晏子说：
Yànzǐ shuō:

"光 是 齐国的首都就有七八千户居民。街上的人群
"Guāng shi Qíguóde shǒudū jiù yǒu qī bā qiānhù jūmín. Jiēshangde rénqún

摩肩接踵，挥挥袖子，就能把太阳遮住；甩甩汗水，就
mó jiān jiē zhǒng, huīhuī xiùzi, jiù néng bǎ tàiyang zhēzhù; shuǎishuǎi hànshuǐ, jiù

跟下雨一样。怎么 说我们齐国没有人呢？"
gēn xià yǔ yīyàng. Zěnme shuō wǒmen Qíguó méi yǒu rén ne?"

楚王 说：
Chǔwáng shuō:

"既然齐国有人，为什么要派你这样的人来当大使？"
"Jìrán Qíguó yǒu rén, wèi shénme yào pài nǐ zhèiyàngde rén lái dāng dàshǐ?"

晏子说：
Yànzǐ shuō:

"我们齐国派大使有一个原则：对方是 怎样一个国家，
"Wǒmen Qíguó pài dàshǐ yǒu yīge yuánzé: Duìfāng shì zěnyàng yīge guójiā,

---

据《晏子春秋》改写。参看第51页第十四篇故事的注解。

54

就派怎样的人去。对方的国王 好，就派好人去，对方
jiù pài zěnyàngde rén qù.　Duìfāngde guówáng hǎo,　jiù pài hǎo rén qù,　duìfāng

的国王 没有 才能，就派没有 才能的人去，我是齐国最
de guówáng méi yǒu cáinéng,　jiù pài méi yǒu cáinéng de rén qù.　Wǒ shì Qíguó zuì

没有 才能的人，所以派到您这儿来了。"
méi yǒu cáinéng de rén,　suǒyǐ pàidào nín zhèr lái le."


| | | |
|---|---|---|
| 唇枪【鎗、槍】舌剑【劍、劎】 | chún qiān shé jiàn | cross verbal swords; a battle of words |
| 光 | guāng | (take sth.) alone; only |
| 首都 | shǒudū | capital |
| 七八千 | qī bā qiān | more than 7 thousand |
| 户 | hù | household; family |
| 居民 | jūmín | inhabitant; resident |
| 人群 | rénqún | crowd |
| 摩肩接踵 | mó jiān jiē zhǒng | jam-packed with pedestrians |
| 挥 | huī | wave |
| 太阳【陽】 | tàiyang | sun |
| 遮 | zhē | shut out; block; screen |
| 甩 | shuǎi | move backward and forward; swing |
| 汗水 | hànshuǐ | sweat |
| 跟…一样 | gēn . . . yīyàng | as; the same as |
| 下雨 | xiàyǔ | rain |
| 既然 | jìrán | in this case; as; now that |
| 派 | pài | send |
| 原则 | yuánzé | principle |
| 对方 | duìfāng | the other side |
| 国王 | guówáng | king |
| 才能 | cáinéng | ability |
| 最 | zuì | most |

# 16

## 志 向
### Zhìxiàng

大海里有一条叫鲲的大鱼，大极了，谁也不知道它
Dà hǎili yǒu yītiáo jiào kūn de dà yú, dà jíle, shéi yě bù zhīdao tā

有多长。大海那边还有一只叫鹏的大鸟，背像座大
yǒu duō cháng. Dà hǎi nèibian hái yǒu yīzhī jiào péng de dà niǎo, bèi xiàng zuò dà

山，张开翅膀能把半个天空遮住，一飞就是九万里。
shān, zhāngkāi chìbǎng, néng bǎ bànge tiānkōng zhēzhù, yī fēi jiù shi jiǔwàn lǐ.

海滩上有只小鸟，看着鹏的那股劲头，嘻嘻地笑了起
Hǎitānshang yǒu zhī xiǎoniǎo, kànzhe péngde nèigǔ jìntóu, xīxīde xiàole qǐ-

来：
lai:

"瞧这只鹏！它想飞到哪儿去啊！我虽然飞不高，
"Qiáo zhèzhī péng! Tā xiǎng fēidào nǎr qù a! Wǒ suīrán fēibugāo,

据《庄子》改写。《庄子》又名《华南经》，是道家的经典著作，由庄子（约
公元前369—前286年）等人著。

56

不也能飞十几尺远吗？我在人家的屋檐下飞来飞去，
bù yě néng fēi shíjǐ chǐ yuǎn ma?　Wǒ zài rénjiāde wūyánxià fēi lái fēi qù,

不也挺快活吗！嗐，鹏啊，你还想飞到哪儿去啊？"
bù yě tǐng kuàihuo ma!　Hài, péng a,　nǐ hái xiǎng fēidào nǎr qù a!"

只能飞十几尺远的小鸟，怎么能理解鲲和鹏的志
Zhǐ néng fēi shíjǐ chǐ yuǎn de xiǎo niǎo,　zěnme néng lǐjiě kūn hé péng de zhì-

向呢？
xiàng ne?

| 志向 | zhìxiàng | aspiration; ideal |
|---|---|---|
| 海 | hǎi | sea |
| 条【條】 | tiáo | *m.w. for fish* |
| 叫 | jiào | called; call |
| 鲲 | kūn | enormous legendary fish which could change into a roc |
| 鱼【魚】 | yú | fish |
| 极【極】了 | jíle | very; extremely |
| 谁也不知道 | shéi yě bù zhīdào | no one knows |
| 多 | duō | how |
| 长 | cháng | long |
| 那边【邊】 | nèibian | the other side |
| 只 | zhī | *m.w. for bird* |
| 鹏 | péng | roc |
| 鸟【鳥】 | niǎo | bird |
| 背 | bèi | back |
| 座 | zuò | *m.w. for mountain* |
| 山 | shān | mountain |
| 张开 | zhāngkāi | spread; stretch; open |
| 翅膀 | chìbǎng | wing |
| 天空 | tiānkōng | sky |
| 飞【飛】 | fēi | fly |

| | | |
|---|---|---|
| 万 | wàn | 10 thousand |
| 里 | lǐ | *li*, Chinese unit of length (1/2 kilometre) |
| 海滩【灘】 | hǎitān | beach |
| 股 | gǔ | *m.w.* |
| 劲【勁】头 | jìntóu | vigour; zeal |
| 嘻嘻 | xīxī | giggle |
| 瞧 | qiáo | look |
| 虽【雖】然 | suīrán | though |
| 高 | gāo | high |
| 尺 | chǐ | *chi*, Chinese unit of length (1/3 metre) |
| 远【遠】 | yuǎn | far |
| 人家 | rénjiā | family; household |
| 屋檐 | wūyán | eaves |
| …来…去 | …lái…qù | to and fro |
| 挺 | tǐng | quite; very |
| 快活 | kuàihuo | happy |
| 嗐 | hài | Oh! |
| 理解 | lǐjiě | understand |

58

# GRAMMATICAL NOTES II

## Words and Non-Words

It is not easy to differentiate Chinese words from non-words in Putonghua. Yet, it is important to make such a differentiation in studying Chinese language. For instance, 火车 huǒchē (train) is made from 火 huǒ (fire) and 车 chē (vehicle). Is this a word or, are there two words in this combination? How can a learner know which conclusion is the right one? The second question: Why is it *important* for a learner to know how to make this differentiation? We know that there are definite *measure words* for definite nouns, and for 车 chē we use 辆 liàng. Then, should we use this measure word for 火车 huǒchē as well? If huǒchē is not a new word but a combination, in which huǒ plays the role of an attributive, maybe liàng is used for this huǒchē? But, no! For huǒchē, we use liè 列 as its measure word.

In Putonghua, words differ, on the one hand, from non-words which are bigger than words; and from non-words which are smaller than words, on the other.

## 1. Words differ from non-words which are bigger than words

Semantically, a word denotes an independent meaning, but, an independent meaning can be expressed not only by a word, sometimes it can be expressed by a group of words—a construction, a certain combination, etc. Here, semantic consideration is closely mixed with the grammatic rules of a given language. Such is the case, for example, in Chinese language.

1) Verb-Object Construction

开夜车　　kāi-yèchē　(work late into the night)
打仗　　　dǎ-zhàng　(to fight)

| 打架 | dǎ-jià | (come to blows) |
| 鞠躬 | jū-gōng | (bow; make a bow to sb.) |
| 松一口气 | sōng-yīkǒu qì | (have a breathing spell) |
| 打招呼 | dǎ-zhāohu | (greet sb.; say hello) |
| 过瘾 | guò-yǐn | (do sth. to ones heart's content; enjoy oneself to the full) |
| 叫好 | jiào-hǎo | (shout "Bravo!"; shout "Well done!") |
| 戒酒 | jiè-jiǔ | (stop drinking) |
| 打鼓 | dǎ-gǔ | (beat a drum; feel nervous) |
| 用感情 | yòng-gǎnqíng | (be carried away by emotion) |
| 叹气 | tàn-qì | (heave a sigh) |
| 现原形 | xiàn-yuánxíng | (reveal one's true features) |
| 掉队 | diào-duì | (fall behind) |
| 诉苦 | sù-kǔ | (pour out one's grievances) |
| 救火 | jiù-huǒ | (fire fighting) |
| 配对 | pèi-duì | (match; make a pair) |
| 谈话 | tán-huà | (talk) |
| 罢官 | bà-guān | (dismiss from office) |
| 过目 | guò-mù | (look over for approving) |
| 吵架 | chǎo-jià | (quarrel) |

The grammatical characteristics of the V-O constructions are as follows:

A. They are reduplicated in VV-O form, never in VO-VO form:

dǎdǎ-zhāohu 打打招呼　guòguò-yǐn 过过瘾

guòguò-mù 过过目　tántán-huà 谈谈话

B. "le" 了 or "zhe" 着 and "guo" 过 are placed after the V, never after VO:

kāile sān tiān yèchē 开了三天夜车

dǎle yījià 打了一架

C. Resultative complement or its potential form is placed after the V, never after VO:

dǎwán zhàng zài jiànshè　打完仗再建设

jièbuliǎo jiǔ　戒不了酒

pèibuchéng duì　配不成对

D. In these V-O constructions, the O (object) sometimes can be modified by a certain attributives (either numeral plus measure words, or even adjectives):

tiàole yīge wǔ　跳了一个舞

chǎole yījià　吵了一架

dà chī yī jīng　大吃一惊

There is a clear transition from V-O constructions to independent words which is marked by the breaking of the above four rules, e.g.:

动员　dòngyuán　(mobilize; mobilization):　～群众　～the masses

出席　chūxí　(attend):　～会议　～a conference

得罪　dézuì　(offend):　～朋友　～a friend

润色　rùnsè　(polish; touch up):　这篇文章你得～一下。

　　　　You should ～ this piece of writing.

认真　rènzhēn　(serious):　进行～的研究　make a ～ study

2)　Verb-Complement Construction

We may easily discern the etymological origin of a large amount of contemporary words in Putonghua which bears the characteristics of the V-C construction. E.g. 提高 tígāo (raise); 推动 tuīdòng (push forward; promote); 看见 kànjian (see); 听见 tīngjian (hear); 打倒 dǎdǎo (overthrow); 记住 jìzhu (remember; memorize); 推翻 tuīfān (overturn; topple); 打开 dǎkāi (open); 隔开 gékāi (separate); 拿下 náxià (capture; seize); 说不定 shuōbuding (maybe); 犯不上 fànbushàng (not worthwhile); 看不起 kànbuqǐ (look down upon; despise); 合得来 hádelái (get along well), etc.

The resultative complements and directional complements are attached to the verb preceding them, and they may be turned into potential complements with the help of "得" or "不" inserted between the verb and these complements.

Since "le" (or "guo", etc.) are placed after the V-C construction as a whole and there are no reduplicated forms of such constructions, it makes the transition (from construction to word) easy to realize, at least easier

61

than the transition from V-O construction to a new word as we have seen above.

We can say with confidence that the above-mentioned examples are new words, because they are morphologically fixed (fànbushàng — no corresponding construction in this sense such as 犯上 could be found in contemporary Putonghua), and some of them carry even other complements (tígāo-tígāobuliǎo; tuīfān-tuīfānbuliǎo).

3) Subject-Predicate Construction

Let us investigate the following two sets of expressions:

A. 头疼    tóuténg   (have a headache)

    气喘    qìchuǎn   (gasp for breath)

    面熟    miànshú   (look familiar)

    心疼    xīnténg   (be fond of; love dearly)

    气馁    qìněi   (become dejected; be discouraged)

    心酸    xīnsuān   (feel sad)

    手软    shǒuruǎn   (be softhearted)

B. 胆子大    dǎnzi dà   (bold)

    火气大    huǒqi dà   (have a bad temper)

    脾气大    píqi dà   (hot-tempered)

    胃口好    wèikǒu hǎo   (have a good appetite)

    耳朵聋    ěrduo lóng   (deaf)

    嗓门儿大    sǎngménr dà   (have a loud voice)

Group A — words; Group B — non-words, or, S-P constructions. Why?

Let us test them with the adverb 不 bù (or, in most of the cases, 太 tài and 很 hěn yield the same effect):

一点儿也不心疼    yīdiǎnr yě bù xīnténg

这个人我很面熟。Zhèige rén wǒ hěn miànshú.

从不气馁    cóng bù qìněi

In Group B, you never put bù 不 (or hěn 很, tài 太) before the construction as a whole. You put the adverb 不 bù only before the Predicate, just like the cases you find in other sentences:

62

胆子不大　　dǎnzi bù dà
火气太大　　huǒqi tài dà
手艺很高　　shǒuyì hěn gāo
耳朵不聋　　ěrduo bù lóng
嗓门儿挺大　sǎngménr tǐng dà

This is the reason why we call Group A — words and Group B — non-words. If one makes the differentiation only according to their sentence function (both A and B can play the role of predicates in a sentence), or only investigates the problem etymologically, without considering the most important part of the question — their grammatical characteristics, their ability in combining with some essential "empty" words such as 很 hěn, 太 tài, 不 bù or jiù 就, etc., he unavoidably leads the readers to make wrong sentences.

4) Certain Combinations

You can't call 南北 nán-běi (north and south), 内外 nèi-wài (inside and outside), 长、宽、高 cháng-kuān-gāo (length, width and height) etc. independent words, because grammatically they do not bear any specific feature different from those they originally possess, and semantically, they denote nothing new as compared to the notions they originally convey. But the following examples are quite different from the above combinations:

（五十）上下　　　　（wǔshí) shàngxià — around fifty ; nearly fifty
（三百万）左右　　　（sānbǎiwàn) zuǒyòu — about 3 million
（来了）多少（人）？（láile) duōshao (rén)? — How many people have come?
腿脚（不灵便）　　　tuǐjiǎo (bù língbian) — have difficulty in walking
手脚（不干净）　　　shǒujiǎo (bù gānjìng) — questionable in money matters
（来二斤）肥瘦儿　　（lái èrjīn) féishòur — 2 *jin* of meat which is not too fat and not too lean

63

长短（正合适）　　　　　chángduǎn (zhèng héshì) — just the right length

早晚（会解决的）　　　　zǎowǎn (huì jiějué de) — It will be solved sooner or later.

Thus, we have two independent words 上 shàng and 下 xià, yet we see in Putonghua a new word 上下 shàngxià which is a particle and has the meaning "nearly; around; about, etc.".　If you do not pay attention to these differences between words and non-words in Putonghua but stick to the old conception "A character is a word", you won't be able to do correct analysis in reading (as well as in speaking) contemporary Chinese.

2.　Words differ from non-words which are smaller than words

A foreigner usually does not raise questions regarding the component parts of such words as 雷达 léidá (radar); 沙发 shāfā (sofa); 轰隆 hōnglōng (rumble); 淅沥 xīlì (the patter of rain); 葡萄 pútao (grape); 蚂蚱 màzha (locust); 彷徨 pánghuáng (hesitate), etc.　It is only natural because they are simply poly-syllabic words — onomatopoeia, transliteration or individual word denoting a definite object.

But what about the other components?

There are three categories of non-words which are smaller than words:

1)　Prefixes

In Putonghua, we have only a few prefixes:

老　lǎo —老虎 lǎohǔ (tiger); 老鹰 lǎoyīng (eagle); 老鼠 lǎoshǔ (mouse); 老师 lǎoshī (teacher); 老百姓 lǎobǎixìng (common people); 老板 lǎobǎn (boss); 老乡 lǎoxiāng (fellow-villager), etc.

阿　ā —阿毛 Āmáo (Amao — a pet name); 阿狗 Āgǒu (Agou — a pet name), etc.

2)　Suffixes

In Putonghua, we have only a few suffixes, e.g.: "们 men" in 我们 wǒmen, 你们 nǐmen, 人们 rénmen.

3)　Bound Words (fēi-zìyóu-cí)

Bound words are used in contrast to the free words. All words (solid or empty) which can be used in contemporary Putonghua freely and independently, are called free words. In contrast to these free words, there are many words in Putonghua which cannot be used freely or independently, these words are called bound words or non-free words.

For instance, 柏 bǎi (cypress). This word differs from other free words (nouns) in its usage, not in its meaning: we say 柏树 bǎishù or 古柏 gǔbǎi, 松柏常青 sōng bǎi cháng qīng, but we never say 老王种了两棵柏。 Lǎo Wáng zhòngle liǎngkē bǎi. It does not take the specific measure word for trees "棵 kē" as the others do. So we say that this 柏 bǎi is a noun, but it is a non-free word (noun). In dictionaries, we put a ◇ mark before such non-free words.

Another example. In 英文 Yīngwén 中文 Zhōngwén or even 他会什么文？ Tā huì shénme wén? (What language does he speak?) 文 "wén" means "language", but in contemporary Chinese, you never use it freely or independently, in the sense of "language". So in this notion, we call it a bound word, or non-free word.

# 17

## 惊弓之鸟
### Jīng gōng zhī niǎo

魏国的射手 更 赢, 跟随 魏王 在京台游玩。 见一只
Wèiguóde shèshǒu Gēng Yíng, gēnsuí Wèiwáng zài Jīngtái yóuwán. Jiàn yīzhī

鸟在 空中 盘旋, 还不时地发出凄厉的 叫声。魏王 抬
niǎo zài kōngzhōng pánxuán, hái bùshíde fāchū qīlìde jiàoshēng. Wèiwáng tái

头看了一会儿, 对 更 赢 说:
tóu kànle yīhuìr, duì Gēng Yíng shuō:

"你看见那只鸟了吗? 你 能 把它 射下来吗? "
"Nǐ kànjian nèizhī niǎo le ma? Nǐ néng bǎ tā shèxialai ma?"

更 赢 说:
Gēng Yíng shuō:

"这只鸟, 我不用 箭就 能 把它 射下来。"
"Zhèizhī niǎo, wǒ bú yòng jiàn jiù néng bǎ tā shèxialia."

一会儿, 那只鸟飞近了, 更 赢 拉满弓, 拨动了一下
Yīhuìr, nèizhī niǎo fēijìnle, Gēng Yíng lāmǎn gōng, bōdòngle yīxià

弓弦, 鸟就 应声 落在他们跟前。
gōngxián, niǎo jiù yìngshēng luòzài tāmen gēnqián.

魏王 惊奇地说:
Wèiwáng jīngqíde shuō:

"你射箭的技术真 高明 啊! 不用 箭就 能把飞鸟射
"Nǐ shè jiàn de jìshù zhēn gāomíng a! Bú yòng jiàn jiù néng bǎ fēiniǎo shè-

---

据《战国策》改写。( 参看第36页第九篇故事的注解。)

下来。"
xialai."

更　赢　说：
Gēng Yíng shuō:

"大王，这不是我的技术高明。这是一只倒霉的鸟。
"Dàiwáng,　zhè bú shì wǒde jìshù gāomíng. Zhè shì yīzhī dǎoméide niǎo.

你听它叫得那样凄厉，飞得那样疲乏。它已经负了伤，
Nǐ tīng tā jiàode nàyàng qīlì,　fēide nàyàng pífá.　Tā yǐjing fùle shāng,

很　长　时间找不到伴侣，所以经不起一点点的震惊。我
hěn cháng shíjiān zhǎobudào bànlǚ,　suǒyǐ jīngbuqǐ yīdiǎndiǎnde zhènjing. Wǒ-

的弓弦一响，它就以为被射中了，自己从　空中　跌落
de gōngxián yī xiǎng,　tā jiù yǐwéi bèi shèzhòngle,　zìjǐ cóng kōngzhōng diēluò-

下来。可怜的惊弓之鸟啊！"
xialai.　Kěliánde jīng gōng zhī niǎo a!"

| 惊【驚】弓之鸟【鳥】jīng gōng zhī niǎo | a bird startled by the mere twang of a bow-string |
|---|---|
| 魏国 | Wèiguó | the State of Wei |
| 射手 | shèshǒu | shooter |
| 更赢 | Gēng Yíng | *name of a person* |
| 魏王 | Wèiwáng | the Duke of Wei |
| 京台 | Jīngtái | *name of a place* |
| 游玩 | yóuwán | go sight-seeing |
| 见 | jiàn | see |
| 盘【盤】旋 | pánxuán | wheel; circle |
| 不时 | bùshí | frequently |
| 发【發】出 | fāchū | give out; send out |
| 凄厉【厲】 | qīlì | sad and shrill |
| 叫声【聲】 | jiàoshēng | cry (of birds, etc.) |
| 抬【擡】头 | táitóu | raise one's head |
| 射 | shè | shoot |

| | | |
|---|---|---|
| 近 | jìn | near |
| 拉 | lā | pull |
| 满 | mǎn | in full |
| 拨动 | bōdòng | pluck |
| 弓弦 | gōngxián | bow-string |
| 应【應】声 | yìngshēng | right at the sound of sth. |
| 落 | luò | fall |
| 跟前 | gēnqián | in front of sb.; near |
| 惊奇 | jīngqí | surprise |
| 技术【術】 | jìshù | skill; technique |
| 真 | zhēn | real; really |
| 高明 | gāomíng | brilliant |
| 飞鸟 | fēiniǎo | flying bird |
| 倒霉 | dǎoméi | have bad luck; be down on one's luck |
| 听【聽】 | tīng | listen |
| 疲乏 | pífá | tired; weary |
| 负伤【傷】 | fùshāng | be wounded |
| 伴侣 | bànlǚ | companion; mate |
| 经不起 | Jīngbuqǐ | cannot bear |
| 一点点【點】 | yīdiǎndiǎn | a little bit; the least |
| 震惊 | zhènjīng | shock |
| 响【響】 | xiǎng | make a sound |
| 以为 | yǐwéi | take sth. for; think |
| 跌落 | diēluò | fall; drop |
| 可怜【憐】 | kělián | pitiful |

# 18

## 树洞里的活鱼
### Shù dònglide huó yú

大路旁 长着一棵大树，树干上 有一个脸盆大的洞。
Dà lùpáng zhǎngzhe yīkē dà shù, shùgànshang yǒu yīge liǎnpén dà de dòng.

大雨过后，树洞里就积满了水。
Dà yǔ guò hòu, shù dòngli jiù jīmǎnle shuǐ.

有一天，一个鱼贩路过这里，看见树洞里有积水，
Yǒu yī tiān, yīge yúfàn lùguò zhèlí, kànjiàn shù dòngli yǒu jīshuǐ,

觉得有趣，就随手抓了一条活鱼放在树洞里。
juéde yǒuqù, jiù suíshǒu zhuāle yītiáo huó yú fàngzài shù dòngli.

一个过路人看见 树洞里
Yīge guòlùrén kànjiàn shù dòngli

有一条活鱼，觉得奇怪：
yǒu yītiáo huó yú, juéde qíguài:

"树洞里怎么会有 活鱼？
"Shù dòngli zěnme huì yǒu huó yú?

大概是条神鱼吧？"
Dàgài shì tiáo shén yú ba?"

"神鱼"降临的消息一
"Shén yú" jiànglín de xiāoxi yī

传开，周围几十里的人 都
chuánkāi, zhōuwéi jǐshí lǐde rén dōu

---

据《异苑》改写。《异苑》小说集专记怪异的事，作者是南朝宋（420—479年）的刘敬叔。

赶来 向 这条鱼烧 香 叩头。大 树附近竟 热闹得 跟
gǎnlái xiàng zhèitiáo yú shāo xiāng kòu tóu. Dà shù fùjìn jìng rènaode gēn

市集 一样。
shìjí yīyàng.

过了些天，那个鱼贩又打这里经过，看到这 情形，
Guòle xiē tiān, nèige yúfàn yòu dǎ zhèlǐ jīngguò, kàndào zhè qíngxing,

忍不住大笑起来：
rěnbuzhù dà xiàoqǐlai:

"你们这些人，真是活见鬼了！这条活鱼是我前几
"Nǐmen zhèixiē rén, zhén shi huó jiàn guǐ le! Zhèitiáo huó yú shì wǒ qián jǐ-

天路过 这里时放在树洞里的。现在，我得赶紧把它 带
tiān lùguò zhèlǐ shí fàngzài shù dòngli de. Xiànzài, wǒ děi gǎnjǐn bǎ tā dài-

走，省得你们再闹 神闹鬼的。"
zǒu, shěngde nǐmen zài nào shén nào guǐ de."

说着，鱼贩抓起那条"神鱼"塞进自己的鱼 篓子，
Shuōzhe, yúfàn zhuāqǐ nèitiáo "shényú" sāijìn zìjíde yú lǒuzi,

哼起小调，扬 长 而 去。
hēngqǐ xiǎodiào, yáng cháng ér qù.

| 洞 | dòng | hole |
|---|---|---|
| 活 | huó | living; alive |
| 路 | lù | road |
| 长 | zhǎng | grow |
| 棵 | kē | *m.w. for tree* |
| 树干【樹幹】 | shùgàn | trunk of a tree |
| 脸盆 | liǎnpén | washbasin |
| 后【後】 | hòu | after |
| 积【積】 | jī | store up; amass |
| 水 | shuǐ | water |
| 鱼贩 | yúfàn | fishmonger |
| 路过 | lùguò | pass by |

70

| | | |
|---|---|---|
| 觉得 | juéde | feel |
| 有趣 | yǒuqù | interesting |
| 随手 | suíshǒu | without extra trouble |
| 抓 | zhuā | snatch; seize |
| 过路人 | guòlùrén | passerby |
| 大概 | dàgài | probably |
| 神 | shén | supernatural; magical |
| 降临【臨】 | jiànglín | befall |
| 消息 | xiāoxi | news |
| 传【傳】开 | chuángkāi | spread |
| 周围【圍】 | zhōuwéi | around; surrounding |
| 赶【趕】 | gǎn | hurry; rush |
| 烧【燒】香 | shāoxiāng | burn joss sticks (before an idol) |
| 叩头 | kòutóu | kowtow |
| 附近 | fùjìn | nearby; in the vicinity of |
| 热闹 | rènao | lively; bustling with noise and excitement |
| 市集 | shìjí | fair |
| 打 | dǎ | from; through |
| 经过【經過】 | jīngguò | pass by |
| 情形 | qíngxing | state of affairs; situation |
| 忍不住 | rěnbuzhù | cannot help |
| 活见鬼 | huó jiàn guǐ | it's sheer fantasy |
| 得 | děi | must; should |
| 赶紧 | gǎnjín | lose no time; hasten |
| 省得 | shěngde | so as to avoid; so as not to |
| 闹【鬧】 | nào | stir up trouble |
| 塞 | sāi | fill in; stuff |
| 篓子 | lǒuzi | basket |
| 哼 | hēng | hum |
| 小调 | xiǎodiào | ditty; tune |
| 扬【揚】长而去 | yáng cháng ér qù | swagger off; stalk off |

# 19

## 美 酒 与 恶 狗
### Měi jiǔ yǔ è gǒu

宋国 有家卖酒的， 酒酿得好， 分量也足， 店主人
Sòngguó yǒu jiā mài jiǔ de,　　jiǔ niàngde hǎo,　fènliang yě zú,　diàn zhǔren

待顾客非常客气， 店堂里干干净净。 照理说， 这样一家
dài gùkè fēicháng kèqi,　　diàntángli gāngānjìngjìng. Zhào lǐ shuō, zhèiyàng　　yījiā

酒店， 生意一定是非常兴隆的。 其实不然。 上 店 来买
jiǔdiàn,　　shēngyi yīdìng shì fēicháng xīnglóngde.　Qíshí bùrán. Shàng diàn lái mǎi

酒的人少得可怜。 酒卖不出去，放的时间长了，渐渐地
jiǔ de rén shǎode kělián.　Jiǔ màibuchūqu, fàng de shíjiān cháng le,　　jiànjiànde

变 酸 了。
biàn suān le.

店主人看这 情形， 觉得不妙， 急得不得了。 一天，
Diàn zhǔren kàn zhè qíngxing,　juéde búmiào,　jíde bùdéliǎo.　　Yī tiān,

他跑去问一个老 先生：
tā pǎoqù wèn　yīge lǎo xiānsheng:

"老 先生， 我有事来 向你请教。 我们店里的 酒 味道
"Lǎo xiānsheng,　wǒ yǒu shì lái xiàng nǐ qǐngjiào.　Wǒmen diànlide jiǔ wèidao

醇美， 价钱公道； 我对顾客和和气气， 唯恐招待不周。
chúnměi,　jiàqian gōngdao; wǒ duì gùkè　héhéqìqì,　　wéikǒng zhāodài bùzhōu.

可是为什么我们的酒老是卖不出去，有的都 变酸了呢？"
Kěshì wèi shénme wǒmende jiǔ lǎoshi màibuchūqu,　yǒude dōu biànsuān le ne?"

---

据《韩非子》改写。韩非是约公元前280—233年的哲学家，《韩非子》一
书是在韩非死后，后人搜集他的遗著，加上别人论述韩非学说的文章而编
成的。

老 先生 想了想， 问：
Lǎo xiānsheng xiǎnglexiǎng, wèn:

"你 养 的 狗，对人凶不凶？"
"Nǐ yǎng de gǒu, duì rén xiōng bu xiōng?"

店 主人 说：
Diàn zhǔren shuō:

"我 养 的 那条 狗 确实 很 凶。不过，这跟酒店的生意
"Wǒ yǎng de nèitiáo gǒu quèshí hěn xiōng. Búguò, zhè gēn jiǔdiànde shēngyi

有什么关系呢？"
yǒu shénme guānxi ne?"

"人家让孩子拿了钱，提了壶，到你的店里去打酒，
"Rénjia ràng háizi nále qián, tíle hú, dào níde diànli qù dǎ jiǔ,

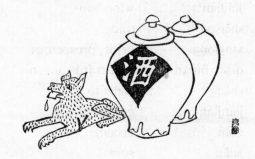

你养的狗 汪汪 叫着，扑上去咬他们的脚，撕他们的
nǐ yǎng de gǒu wāngwāng jiàozhe, pūshàngqu yǎo tāmende jiǎo, sī tāmende

衣服。这样，谁还愿意上你的店里去打酒呢？有了这
yīfu. Zhèyàng, shéi hái yuànyi shàng níde diànli qù dǎ jiǔ ne? Yǒule zhè-

样的看门狗，你的酒酿得再好，也是白搭啊！"
yàngde kān mén gǒu, níde jiǔ niàngde zài hǎo, yě shì báidā a!"

| 美酒 | měi jiǔ | good wine |
| 恶【惡】狗 | è gǒu | a ferocious dog |
| 宋国 | Sòngguó | the State of Song |
| 家 | jiā | *m.w. for shop, publishing house, etc.* |

| | | |
|---|---|---|
| 酿【釀】 | niàng | make (wine); brew (beer) |
| 分量 | fènliang | measure; weight |
| 足 | zú | full; enough |
| 店 | diàn | shop |
| 主人 | zhǔren | owner; host |
| 待 | dài | treat |
| 顾【顧】客 | gùkè | customer |
| 非常 | fēicháng | very |
| 客气 | kèqi | polite; courteous |
| 店堂 | diàntáng | the front room of a shop |
| 干净 | gānjìng | clean |
| 照理说 | zhào lǐ shuō | in the ordinary course of events; normally |
| 酒店 | jiǔdiàn | wineshop |
| 生意 | shēngyi | trade |
| 兴【興】隆 | xīnglóng | brisk; prosperous |
| 其实【實】不然 | qíshí bùrán | in fact it is not so |
| 上 | shàng | come to |
| 渐渐【漸】 | jiànjiàn | gradually |
| 变 | biàn | become |
| 酸 | suān | sour |
| 不妙 | búmiào | far from good |
| 急 | jí | worry |
| 不得了 | bùdéliǎo | exceedingly |
| 老 | lǎo | old |
| 请教 | qǐngjiào | ask for advice |
| 醇美 | chúnměi | good (wine); mellow (wine); un-mixed |
| 价【價】钱 | jiàqian | price |
| 公道 | gōngdao | reasonable |
| 和气 | héqì | gentle; amiable |
| 唯恐 | wéikǒng | for fear that; lest |

74

| | | |
|---|---|---|
| 招待 | zhāodài | entertain; serve (customers) |
| 不周【週】 | bùzhōu | not to be considerate or thoughtful |
| 可是 | kěshì | but |
| 老(是) | lǎo (shi) | always |
| 有的 | yǒude | some (of those) |
| 养【養】 | yǎng | keep; grow; raise |
| 狗 | gǒu | dog |
| 凶【兇】 | xiōng | ferocious; vicious |
| 确实【確實】 | quèshí | actually; indeed |
| 不过 | búguò | but |
| 有…关系 | yǒu…guānxi | have (sth.) to do with |
| 人家 | rénjia | people; the others |
| 让【讓】 | ràng | ask |
| 孩子 | háizi | child; kid |
| 提 | tí | carry in one's hand (with the arm down) |
| 壶【壺】 | hú | pot; kettle |
| 打酒 | dǎjiǔ | buy wine |
| 汪汪 | wāngwāng | bowwow; bark |
| 扑 | pū | pounce on; spring on |
| 咬 | yǎo | bite |
| 脚 | jiǎo | foot |
| 撕 | sī | tear |
| 愿【願】意 | yuànyi | be willing to |
| 看门狗 | kān mén gǒu | watchdog |
| 再…也… | zài…yě… | even (more) |
| 白搭 | báidā | no use; no good |

# 20

## 歌 唱 家 秦 青
### Gēchàngjiā Qín Qīng

秦 青 是 秦国 著名 的 歌唱家。有 个 叫 薛谭 的 跟 秦 青
Qín Qīng shì Qínguó zhùmíngde gēchàngjiā. Yǒu ge jiào Xuē Tán de gēn Qín Qīng

学 唱歌, 学了 几个月, 就认为 已经 把 老师的 本领 都 学
xué chàng gē, xuéle jíge yuè, jiù rènwéi yǐjing bǎ lǎoshīde běnlíng dōu xué-

到手了, 于是 他 告诉 秦青, 说 他 打算 走了。秦 青 没有
dào shǒu le, yúshì tā gàosu Qín Qīng, shuō tā dǎsuan zǒu le. Qín Qīng méi yǒu

挽留, 只是 说 他 打算 送送 自己的 学生。
wǎnliú, zhǐshì shuō tā dǎsuan sòngsong zìjǐde xuésheng.

薛谭 动身 那天, 秦青 送 他 出 城, 在郊外 一个
Xuē Tán dòngshēn nà tiān, Qín Qīng sòng tā chū chéng, zài jiāowài yīge

亭子里 摆了 酒菜, 算是 给 学生 饯行。喝过 几杯 之后,
tíngzili bǎile jiǔ cài, suànshì gěi xuésheng jiànxíng. Hēguò jíbēi zhīhòu,

秦青 说 唱 支歌 给学生 送 行吧, 就 拨动 琴弦, 唱了
Qín Qīng shuō chàng zhī gē gěi xuésheng sòng xíng ba, jiù bōdòng qínxián, chàngle

起来。
qǐlai.

这是 什么样的 歌声 啊! 树林 震动了, 树枝 随着 高
Zhè shì shénmeyàngde gēshēng a! Shùlín zhèndòngle, shùzhī suízhe gāo

亢 的 歌声 轻轻 摇摆; 树叶 簌簌, 骄傲地 为 一代 歌手 伴
kàngde gēshēng qīngqīng yáobǎi; shùyè sùsù, jiāo'àode wèi yīdài gēshǒu bàn-

---

据《列子》改写。参看第1页第一篇故事的注解。

奏。秦青的歌声直 冲 云霄， 白云停下来， 欣赏这感
zòu.　Qín Qīngde gēshēng zhí chōng yún xiāo,　　bái yún tíngxiàlai,　　xīnshǎng zhè gǎn

人肺腑、动人心 弦的歌唱。
rén fèi fǔ,　　dòng rén xīn xián de gēchàng.

　　　薛 谭 被老师的歌声惊呆了， 眼泪渐渐地 模糊了 他
　　　Xuē Tán bèi  lǎoshīde gēshēng jīngdāile,　　yǎnlèi jiànjiànde　móhule　tā-

的视线。他是多么的 无知， 又是多么的 狂妄 啊，他连老
de shìxiàn.　　Tā shì duōmede wúzhī,　　yòu shì duōmede kuángwàng a,　tā lián lǎo-

师的皮毛都还没有学到，却自以为不值得再 向 这位伟
shīde pímáo dōu hái méi yǒu xuédào,　què zì  yǐwéi  bù zhíde zài xiàng zhèiwèi wěi-

大的歌手请教了。
dàde  gēshǒu qíngjiàole.

　　　薛谭打消了回家的念头， 恳求秦青 把他留下。秦
　　　Xuē Tán dǎxiāole  huí jiā de niàntou,　　kěnqiú Qín Qīng bǎ tā liúxià.　　Qín

青热情地拉着薛 谭的手一同回去了。
Qīng rèqíngde  lāzhe Xuē Tánde shǒu  yītóng  huíqùle.


| 歌唱家 | gēchàngjiā | vocalist; singer |
|---|---|---|
| 秦青 | Qín Qīng | *name of a famous singer* |
| 秦国 | Qínguó | the State of Qin |
| 著名 | zhùmíng | famous |
| 薛谭 | Xuē Tán | *name of a person* |
| 认为【認為】 | rènwéi | think; consider |
| 老师【師】 | lǎoshī | teacher |
| 本领 | běnlǐng | skill; ability |
| 学到手 | xuédào shǒu | learn and master |
| 于是 | yúshì | thereupon; hence |
| 告诉 | gàosu | tell |
| 打算 | dǎsuan | intend |
| 走 | zǒu | leave |

| 挽留 | wǎnliú | persuade sb. to stay |
| 送 | sòng | see sb. off |
| 动身 | dòngshēn | set out on a journey |
| 城 | chéng | city; city gate |
| 郊外 | jiāowài | outskirts |
| 亭子 | tíngzi | pavilion |
| 摆【擺】 | bǎi | set; lay; arrange |
| 菜 | cài | dish |
| 算（是） | suàn (shì) | count as; regard as |
| 饯【餞】行 | jiànxíng | give a farewell dinner |
| 杯 | bēi | cup |
| 之后 | zhīhòu | after |
| 支 | zhī | *m.w. for song* |
| 歌 | gē | song |
| 送行 | sòngxíng | see sb. off |
| 拨【撥】动 | bōdòng | pluck |
| 琴弦 | qínxián | strings of a musical instrument |
| 歌声 | gēshēng | voice of a singer; sound; singing |
| 啊 | a | *particle* |
| 树林 | shùlín | woods |
| 震动 | zhèndòng | vibrate; shake |
| 树枝 | shùzhī | branch |
| 随着 | suízhe | following; in pace with; echo |
| 高亢 | gāokàng | sonorous |
| 轻轻 | qīngqīng | slightly |
| 摇摆 | yáobǎi | sway |
| 树叶【葉】 | shùyè | leaf |
| 簌簌 | sùsù | rustle |
| 骄【驕】傲 | jiāo'ào | proud |
| 为 | wèi | for |
| 一代歌手 | yídài gēshǒu | the best singer of this generation |
| 伴奏 | bànzòu | accompany |

78

| | | |
|---|---|---|
| 直冲云【雲】霄 | zhí chōng yún xiāo | dash high into the clouds |
| 白云 | bái yún | white clouds |
| 停 | tíng | stop |
| 欣赏 | xīngshǎng | admire; appreciate |
| 感人肺腑 | gǎn rén fèi fǔ | touch one to the depths of one's soul |
| 动人心弦 | dòng rén xīn xián | tug at one's heart-strings |
| 惊呆 | jīngdāi | stunned; astonished |
| 眼泪【淚】 | yǎnlèi | tears |
| 模糊 | móhu | blur; obscure |
| 视线 | shìxiàn | sight |
| 多么 | duōme | how |
| 无知 | wúzhī | ignorant |
| 又 | yòu | and; in addition to |
| 狂妄 | kuángwàng | arrogant |
| 连 | liáng | even |
| 皮毛 | pímáo | superficial knowledge |
| 却 | què | yet |
| 自以为 | zì yǐwéi | regard oneself as; consider oneself |
| 值得 | zhíde | worthwhile; worth |
| 伟【偉】大 | wěidà | great |
| 打消 | dǎxiāo | give up |
| 念头 | niàntou | idea; intention |
| 恳【懇】求 | kěnqiú | implore; beseech; earnestly request |
| 留下 | liúxià | stay |
| 热情 | rèqíng | warm; warmhearted |

# 21

## 是保护，还是伤害？
### Shì bǎohù háishi shānghài?

邯郸地方的百姓有一种 风俗：每逢 大年 初一，都
Hándān dìfangde bǎixìng yǒu yīzhǒng fēngsú: Měi féng dànián chūyī, dōu

要捉一批斑鸠送给国王，让国王放生，送鸟的人
yào zhuō yīpī bānjiū sònggěi guówáng, ràng guówáng fàngshēng, sòng niǎo de rén

都会得到国王的赏赐。
dōu huì dédào guówángde shǎngcì.

有一个人去问国王：
Yǒu yīge rén qù wèn guówáng:

"你要了这些斑鸠来放生，有什么意义呢？"
"Nǐ yàole zhèixiē bānjiū lái fàngshēng, yǒu shénme yìyì ne?"

国王说：
Guówáng shuō:

"大年初一放放生，为的是表示我的恩德啊！"
"Dànián chūyī fàngfangshēng, wèide shì biǎoshì wǒde ēndé a!"

"大王，老百姓知道你要斑鸠来放生，大家都争着
"Dàiwáng, lǎobǎixìng zhīdao nǐ yào bānjiū lái fàngshēng, dàjiā dōu zhēngzhe

去捉斑鸠了。 活捉的都献给你了， 还有捉不住打死了
qù zhuō bānjiū le. Huózhuō de dōu xiàngěi nǐ le, hái yǒu zhuōbuzhù dǎsile

的呢？ 可能比活捉的多得多啦！ 你要真想放生，倒
de ne? Kěnéng bǐ huózhuō de duōde duō la! Nǐ yào zhēn xiǎng fàngshēng, dào

---

据《列子》改写。参看第1页第一篇故事的注解。

不如禁止老百姓捉斑鸠，那才是保护斑鸠的正经办法。
bùrú  jìnzhǐ lǎobǎixìng zhuō bānjiū,    nà cái shì  bǎohù  bānjiū de zhèngjing bànfǎ.

这一捉一放，为放而捉，不知伤害了多少斑鸠。你的
Zhè yī zhuō yī fàng,   wèi fàng ér zhuō,   bùzhī   shānghàile duōshao bānjiū.    Nǐde

"恩德"，实在是杀鸟之道啊！"
"ēndé",      shízài  shì shā niǎo zhī dào a!"

| 保护【護】 | bǎohù | protect |
| 还【還】是 | háishi | or |
| 伤【傷】害 | shānghài | harm |
| 邯郸 | Hándān | *name of a place* |
| 地方 | dìfang | place; district |
| 百姓 | bǎixìng | people |
| 风【風】俗 | fēngsú | custom |
| 每逢…都… | měi féng...dōu... | on (certain occasions); each time when |
| 大年初一 | dànián chūyī | the first day of the lunar New Year |
| 捉 | zhuō | catch |
| 批 | pī | *m.w.* group; lot |
| 斑鸠 | bānjiū | turtledove |
| 放生 | fàngshēng | buy captive birds or fish and set them free; free captive animals |
| 得到 | dédào | receive; get |
| 赏赐【賜】 | shǎngcì | reward |
| 要 | yào | ask for; want |
| 意义【義】 | yìyì | meaning; significance |
| 为的是 | wèide shì | for; this is for the sake of |
| 表示 | biǎoshì | express |
| 恩德 | ēndé | kindness; favor |
| 啊 | a | *particle* |
| 大家 | dàjiā | all; everybody |

| 争着 | zhēngzhe | vie with each other (in doing sth.) |
| 活捉 | huózhuō | capture alive |
| 献【獻】 | xiàn | present; offer |
| 捉不住 | zhuōbuzhù | cannot catch; not be able to catch |
| 打死 | dǎsǐ | kill |
| 可能 | kěnéng | possible; probably |
| 比 | bǐ | compared with; in comparison with |
| 多的多 | duōde duō | much more |
| 啦 | la | *particle* = 了 le plus 啊 a |
| 要 | yào | if |
| 真 | zhēn | really; indeed |
| 倒不如 | dào bùrú | would be better |
| 禁止 | jìnzhǐ | forbid |
| 才 | cái | only (under a certain condition) |
| 正经 | zhèngjing | decent; serious |
| 一……一…… | yī...yī... | on the one hand . . . , on the other hand . . . |
| 为…而… | wèi...ér... | for; for the sake of |
| 多少 | duōshao | how many |
| 实【實】在 | shízài | in fact; actually |
| 杀【殺】 | shā | kill |
| 之 | zhī | *arch. particle used as contemporary* 的 de |
| 道 | dào | way; method |

# 22

## 朱元璋的忌讳
### Zhū Yuánzhāng de jìhui

南京城附近有一段堤岸，常常被海猪拱塌。明
Nánjīng chéng fùjìn yǒu yīduàn dì'àn, chángcháng bèi hǎizhū gǒng tā. Míng

太祖朱元璋问他的大臣们是什么原因。
Tàizǔ Zhū Yuánzhāng wèn tāde dàchénmen shì shénme yuányīn.

大臣们知道朱元璋的忌讳很多，谁犯了他的忌
Dàchénmen zhīdao Zhū Yuánzhāng de jìhui hěn duō, shéi fànle tāde jì-

讳，就要杀头，所以大家说话都非常小心。大臣们
hui, jiù yào shā tóu, suǒyǐ dàjiā shuōhuà dōu fēicháng xiǎoxīn. Dàchénmen

哪个敢说拱塌堤岸的是海猪！因为"猪"和"朱"同
něige gǎn shuō gǒng tā dì'àn de shì hǎizhū! Yīnwèi "zhū" hé "Zhū" tóng

音，朱元璋一听还不得灭了你九族！多亏一位大臣
yīn, Zhū Yuánzhāng yī tīng hái bù děi mièle nǐ jiǔzú! Duōkuī yīwèi dàchén

脑子快，他想，要是说是"大鼋"把堤岸拱塌的，"鼋"
nǎozi kuài, tā xiǎng, yàoshi shuō shì "dàyuán" bǎ dì'àn gǒng tā de, "yuán"

和"元"同音，朱元璋一定高兴，因为元朝正是
he "Yuán" tóngyīn Zhū Yuánzhāng yīdìng gāoxìng, yīnwèi Yuáncháo zhèng shì

叫朱元璋给灭了的。这位大臣立刻回答：
jiào Zhū Yuánzhāng gěi mièle de. Zhèiwèi dàchén lìkè huídá:

"拱塌堤岸的就是那些可恶的'大鼋'！"
"Gǒng tā dì'àn de jiù shì nèixiē kěwùde 'dàyuán'!"

---

据《雪涛小说》改写。参看第42页第十一篇故事的注解。

朱元璋 立即下令,把城里城外的大鼋消灭干净。
Zhū Yuánzhāng lìjí xià lìng, bǎ chénglǐ chéngwàide dàyuán xiāomiè gānjìng.

大鼋这一下遭了灭顶之灾, 可是堤岸还是年年让
Dàyuán zhè yīxià zāole miè dǐng zhī zāi, kěshì dī'àn háishi niánnián ràng

海猪 拱塌。
hǎizhū gǒng tā.

| 朱元璋 | Zhū Yuánzhāng | *name of the first emperor of the Ming dynasty* |
| 忌讳【諱】 | jìhui | taboo |
| 南京 | Nánjīng | Nanking |
| 城 | chéng | city |
| 附近 | fùjìn | nearby; neighboring |
| 段 | duàn | section; sector |
| 堤岸 | dī'àn | embankment |
| 常常 | chángcháng | often |
| 海猪 | hǎizhū | *a kind of fish* |
| 拱 | gǒng | wriggle; dig |
| 塌 | tā | collapse |
| 明 | Míng | Ming dynasty |
| 太祖 | Tàizǔ | *dynastic title of Zhu Yuanzhang (his title of reign was* 洪武 *Hong Wu)* |
| 大臣 | dàchén | minister |
| 原因 | yuányīn | cause; reason |
| 犯 | fàn | violate |
| 杀头 | shātóu | behead |
| 所以 | suǒyǐ | so; therefore |
| 小心 | xiǎoxīn | careful |
| 敢 | gǎn | dare |
| 因为 | yīnwèi | because; since |
| 同音 | tóngyīn | homonym; of the same pronunciation |

| | | |
|---|---|---|
| 灭【滅】九族 | miè jiǔzú | exterminate the Nine Degrees of Relationship (Great-great-grandfather; Great-grandfather; Grandfather; Father; Self; Son; Grandson; Great-grandson; Great-great-grandson) |
| 多亏【虧】 | duōkuī | thanks to; luckily |
| 脑【腦】子快 | nǎozi kuài | quick-witted |
| 要是 | yàoshi | if |
| 鼋 | yuán | soft-shelled turtle |
| 元 | Yuán | Yuan (dynasty); character "yuan" |
| 元朝 | Yuáncháo | Yuan dynasty |
| 正（是） | zhèng (shì) | exactly |
| 叫…给… | jiào…gěi… | by (*passive*) |
| 立刻 | lìkè | immediately |
| 可恶 | kěwù | hateful |
| 立即 | lìjí | at once; promptly |
| 下令 | xiàlìng | issue order |
| 城里 | chénglǐ | inside the city |
| 城外 | chéngwài | outside the city |
| 消灭【滅】 | xiāomiè | wipe out; eliminate |
| 这一下 | zhè yīxià | so doing; thus |
| 遭 | zāo | meet with (disaster); suffer |
| 灭顶之灾【災】 | miè dǐng zhī zāi | disaster of being drowned or completely exterminated |
| 可是 | kěshì | but; however |
| 还是 | háishi | still; as before |
| 年年 | niánnián | year after year; every year |
| 让【讓】 | ràng | by (*passive*) |

## 23

## 比　美
### Bǐ　měi

邹忌对着镜子 穿 戴完毕， 问老婆：
Zōu Jì duìzhe jìngzi chuān dài wánbì, wèn lǎopo:

"你看，我 同城北的那位徐公比起来，谁 更 漂亮？"
"Nǐ kàn, wǒ tóng chéngběide nèiwèi Xúgōng bǐqǐlai, shéi gèng piàoliang?"

老婆 说：
Lǎopo shuō:

"你漂亮 多啦！ 徐某人 怎 能 跟你比！"
"Nǐ piàoliang duō la! Xú mǒurén zěn néng gēn nǐ bǐ!"

徐公是 远 近 闻名 的 美男子， 邹忌自已也不相信会
Xúgōng shì yuǎn jìn wénmíng de měinánzǐ, Zōu Jì zìjǐ yě bù xiāngxìn huì

比徐公还 漂亮。他 又 去 问 小 老婆：
bǐ Xúgōng hái piàoliang. Tā yòu qù wèn xiǎolǎopo:

"你看， 我跟 徐公谁更 漂亮？"
"Nǐ kàn, wǒ gēn Xúgōng shéi gèng piàoliang?"

小老婆说：
Xiǎolǎopo shuō:

"徐某人哪里比得上你漂亮！"
"Xú mǒurén nǎlǐ bǐdeshàng nǐ piàoliang!"

一会儿， 来了一个客人，邹忌又 向 客人提出同样的
Yíhuìr, láile yīge kèren, Zōu Jì yòu xiàng kèren tíchū tóngyàngde

---

据《战国策》改写。参看第36页第九篇故事注解。

86

问题，客人说：
wèntí, kèren shuō:

"你比徐公 漂亮 多了！"
"Nǐ bǐ Xúgōng piàoliang duōle!"

第二天，徐公来访。邹忌仔细地把徐公打量了一番，
Dì'èr tiān, Xúgōng lái fǎng. Zōu Jì zíxìde bǎ Xúgōng dǎliangle yī fān,

觉得徐公 长得比自己漂亮。他又偷偷地照了照镜子，更
juéde Xúgōng zhǎngde bǐ zìjǐ piàoliang. Tā yòu tōutōude zhàolezhào jìngzi, gèng

觉得自己确实比不上徐公。
juéde zìjǐ quèshí bǐbushàng Xúgōng.

邹忌想了 半天，恍然大悟：
Zōu Jì xiǎngle bàntiān, huǎngrándàwù:

老婆偏爱， 所以捧我；小老婆怕我， 所以奉承我；
Lǎopo piān'ài, suǒyǐ pěng wǒ; xiǎolǎopo pà wǒ, suǒyǐ fèngcheng wǒ;

客人 上门有求于我，所以故意 向我讨好。一个人要听
kèren shàngmén yǒu qiú yú wǒ, suǒyǐ gùyì xiàng wǒ tǎohǎo. Yīge rén yàotīng-

到符合实际 的评论，是多么不容易啊！
dào fúhé shíjì de pínglùn, shì duōme bù róngyì a!

| 比 | bǐ | compete; match; compare |
|---|---|---|
| 美 | měi | beauty |
| 邹【鄒】忌 | Zōu Jì | *name of a person* |
| 对着 | duìzhe | facing |
| 镜子 | jìngzi | mirror |
| 穿 | chuān | wear |
| 戴 | dài | put on; wear |
| 完毕【畢】 | wánbì | finish |
| 老婆 | lǎopo | wife |
| 同 | tóng | with; and |
| 北 | běi | north |

| | | |
|---|---|---|
| 徐公 | Xúgōng | the revered Mr. Xu |
| 更 | gèng | more; even more |
| 漂亮 | piàoliang | handsome; good-looking |
| …多（啦） | duō (la) | much more |
| 某人 | mǒurén | that man; so-and-so (instead of the real name) |
| 怎能 | zěn néng | how can |
| 远近闻名 | yuǎn jìn wénmíng | be well-known far and near |
| 美男子 | měinánzǐ | a (very) handsome man |
| 自己 | zìjǐ | oneself; itself; own |
| 相信 | xiāngxìn | believe |
| 会【會】 | huì | be likely; be possibly |
| 比…还… | bǐ…hái… | even more … than … |
| 小老婆 | xiǎolǎopo | concubine |
| 哪里 | nǎlǐ | how could it be; how |
| 比得上 | bǐdeshàng | can compare with |
| 客人 | kèren | guest |
| 提（出）…问题 | tí (chū)…wèntí | raise questions |
| 同样 | tóngyàng | same |
| 来访 | láifǎng | come to visit sb. |
| 仔细 | zǐxì | carefully; attentively |
| 打量 | dǎliang | look sb. up and down |
| 番 | fān | m.w. |
| 长 | zhǎng | look; features |
| 偷偷 | tōutōu | stealthily; covertly |
| 照 | zhào | look (in the mirror) |
| 确实【確實】 | quèshí | indeed; really |
| 恍然大悟 | huǎngrándàwù | be enlightened |
| 偏爱 | piānài | show favoritism to sb. |
| 捧 | pěng | extol; boost |

88

| | | |
|---|---|---|
| 上门 | shàngmén | call; drop in |
| 有求于 | yǒu qiú yú | turn to sb. for help |
| 故意 | gùyì | intentionally; on purpose |
| 向…讨好 | xiàng…tǎohǎo | fawn on; toady to |
| 符合 | fúhé | tally with; conform to |
| 实际【際】 | shíjì | reality |
| 评论【評論】 | pínglùn | comment |
| 容易【易】 | róngyì | easy |

# 24

## 告　状
### Gào　zhuàng

有一只狗 常 在井台 边上 拉屎。
Yǒu yìzhī　gǒu cháng zài jǐngtái　biānshang lā shǐ.

村里有十几户人家都在这口井里打水，他们很讨厌
Cūnli yǒu　shíjǐhù　rénjiā dōu zài zhèikǒu jǐngli　dǎ shuǐ,　tāmen hěn tǎoyàn

这条狗，想把这事告诉狗的主人，让那位主人把狗
zhèitiáo gǒu,　xiǎng bǎ　zhè shì gàosu gǒude zhǔren,　ràng nèiwèi zhǔren bǎ　gǒu

管住。
guǎnzhù.

据《战国策》改写。参看第36页第九篇故事的注解。

可是每当 想 去告 状 的人走近这位主人的大门，
Kěshì měi dāng xiǎng qù gào zhuàng de rén zǒujìn zhèiwèi zhǔrende dàmén,

这条 狗就扑上来又叫又咬，吓得谁也不敢 上门。
zhèitiáo gǒu jiù pūshanglai yòu jiào yòu yǎo,　xiàde shéi yě bù gǎn shàngmén.

看来，凡是怕别人揭发自己缺点的人，大概 也跟
Kànlái,　fánshì pà biéren jiēfā zìjǐ quēdiǎn de rén,　dàgài yě gēn

这条狗一样，总要挡住别人，使 他们不敢进门去告
zhèitiáo gǒu yīyàng,　zǒng yào dǎngzhù biéren,　shǐ tāmen bù gǎn jìn mén qù gào

他的 状。
tāde zhuàng.

| | | |
|---|---|---|
| 告状【状】 | gào zhuàng | lodge a complaint against sb. with his superior |
| 井 | jǐng | well |
| 台 | tái | anything shaped like a platform or terrace |
| 边【邊】上 | biānshang | side; edge |
| 拉屎 | lā shǐ | empty the bowels of excrement |
| 户 | hù | household |
| 人家 | rénjiā | family |
| 打水 | dǎ shuǐ | draw wate r (from a well); fetch water |
| 老 | lǎo | always |
| 旁边 | pángbiān | beside |
| 讨厌【厭】 | tǎoyàn | be disgusted with; loathe |
| 事 | shì | matter |
| 主人 | zhǔren | master; host |
| 让 | ràng | ask; make; let |
| 管住 | guǎngzhù | keep under strict control |
| 每当【當】 | měi dāng | whenever; every time |
| 走近 | zǒujìn | approach |
| 大门 | dàmén | gate; front door |

| | | |
|---|---|---|
| 咬 | yǎo | bite |
| 吓【嚇】 | xià | frighten; scare |
| 敢 | gǎn | dare |
| 上门 | shàngmén | visit; come to see sb. |
| 看来 | kànlái | it appears; it seems; evidently |
| 凡是 | fánshì | every; all; any |
| 怕 | pà | fear |
| 别人 | biéren | other person |
| 揭发 | jiēfā | bring to light; expose; unmask |
| 缺点【點】 | quēdiǎn | shortcoming |
| 跟⋯一样 | gēn...yīyàng | same as; as |
| 总【總】 | zǒng | always; invariably |
| 挡住 | dǎngzhù | get in the way of; block |
| 使 | shǐ | make; cause; so that |

# GRAMMATICAL NOTES III

## On Classification of Words

Words are classified in accordance with the following criteria:

1) Their ability of combination with words of other parts of speech — morphological characteristics in a broad sense;

2) Their usual function in sentence construction;

3) Their semantical features;

4) Their morphological characteristics in the narrow sense.

According to these criteria we differentiate Chinese nouns from verbs; nouns from adjectives; verbs from adjectives; verbs from prepositions; adjectives from adverbs; measure words from nouns.

1.  Nouns and Verbs

Take 锁 suǒ for example.

It is a verb: 锁箱子 suǒ xiāngzi; 把大门锁上 bǎ dàmén suǒshàng.

It is also a noun: 一把锁 yībǎ suǒ; 这把锁坏了 zhèibǎ suǒ huàile.

There are quite a few words like this 锁 suǒ:

锤     chuí   (n.; v.)

漆     qī   (n.; v.)

姓     xìng   (n.; v.)

俘虏   fúlǔ   (n.; v.), etc.

What about the words like 练习 liànxí, 批评 pīpíng, 答复 dáfù, 试验 shìyàn, etc.? And what about 直升飞机 zhíshēngfēijī, 雨 yǔ, 雪 xuě, etc.? 练习 liànxí, 批评 pīpíng, etc. are verbs, etymologically. Yet, they can be modified by ordinary adjectives and nouns, moreover, they can take measure words such as zhǒng 种, xiàng 项, etc. Thus, we can say that 练习 liànxí, 批评 pīpíng, 试验 shìyàn, etc. are verbs and nouns.

Verbs like 感动 gǎndòng, 整理 zhěnglǐ and 保持 bǎochí, etc. are verbs etymologically, but they do not take measure words as their modifiers,

93

and usually they are not modified by ordinary nouns or adjectives, therefore, we cannot classify these verbs as nouns simultaneously.

In English, "helicopter" or "rain" and "snow", etc. are both nouns and verbs, but in Chinese, 直升飞机 zhíshēngfēijī and 雨 yǔ or 雪 xuě can never be regarded as verbs. The reason is quite simple: they do not tally with the four criteria mentioned above concerning nouns in contemporary Chinese.

2. Nouns and Adjectives

In contemporary Chinese, both nouns and adjectives can take the position of a modifier (attributive), so you can never judge whether the noun 文化 wénhuà in 文化生活 wénhuà shēnghuó is at the same time an adjective.

As we know from what we have learned in CHINESE FOR YOU, adjectives can be modified by adverbs like 不 bù and 很 hěn, etc. And in contemporary Chinese, nouns are not modified by such adverbs. Then, we may conclude that 文化 wénhuà is only a noun, but not an adjective, since you don't say 不文化 bù wénhuà, or 很文化 hěn wénhuà.

Semantically, 文明 wénmíng is not far from the word 文化 wénhuà, but wénmíng is not only a noun, but also an adjective. In Chinese, we can say 不文明 bù wénmíng or 很文明 hěn wénmíng. Owing to this reason, we should make different grammatical classifications no matter how alike 文化 and 文明 are semantically.

Here we give some other examples of this kind:

Nouns *and* Adjectives:

科学　kēxué　(you can say 不科学 bù kēxué or 很科学 hěn kēxué)
精神　jīngshen　(ditto)
平常　píngcháng　(ditto)
全面　quánmiàn　(ditto)

Nouns (*not* Adjectives):

技术　jìshù　(you can *never* say 不技术 bú jìshù or 很技术 hěn jìshù)
物质　wùzhì　(ditto)
平时　píngshí　(ditto)

全部　quánbù　(ditto)

3. Verbs and Adjectives

A learner of Chinese usually does not find it difficult to differentiate 吃 chī, 认为 rènwéi, 觉得 juéde, 感到 gǎndào, 希望 xīwàng, 考虑 kǎolǜ from 雪白 xuěbái, for instance. Xuěbái 雪白 is an adjective, and those 吃 chī, 认 为 rènwéi, etc. are verbs. Who would ever confuse verbs with adjectives?

No matter how strange it seems, but the fact is: the more you know, the bigger becomes the difficulty in differentiating Chinese verbs from adjectives. Besides 雪白 xuěbái and 吃 chī, you come into contact with 肿 zhǒng, 冷 lěng, 挤 jǐ, 馊 sōu, 旱 hàn, 涝 lào, 忙 máng, 闲 xián, 乏 fá, 困 kùn, 醉 zuì, 渴 kě, 烂 làn, 响 xiǎng, 满 mǎn, etc. There are mountains of such words which denote something between a state and an action, a quality and a movement. They look like verbs, yet remind you of the characteristics of the adjectives.

We know that for verbs and adjectives, "很" or "非常" are not the ideal touchstone, because 很 or 非常 can combine with adjectives as well as verbs in a notable scale.

"...得很" is a good touchstone for these ambiguous words. We usually use "... 得很" after an adjective. Only a very small amount of verbs can be used before this "...得很" (like 怕 pà). "极了 jíle" sometimes can play an additional role in testing verbs and adjectives.

Thus, 醉 zuì and 馊 sōu should be picked out of the above list. The other touchstone is the method of reduplication.

满满一大锅 mǎnmǎn yī dà guō, here 满 mǎn is reduplicated in the way other adjectives usually do. The reduplicated adjectives convey a certain descriptive notion (while the reduplication of verbs adds a tone of lightness to a sentence). Let us reduplicate the word 挤 jǐ:

挤挤的一车乘客　jǐjǐde yīchē chéngkè

挤 jǐ is reduplicated in the adjective-way. 挤 jǐ is an adjective. But in:

大家再往里挤挤　dàjiā zài wǎng lǐ jǐjǐ

挤 jǐ is reduplicated in the verb-way. That means, 挤 jǐ is also a verb. This method of reduplication tells us a lot:

| 端正端正态度 | duānzhèng duānzhèng tàidu (verb-way) |
| 端端正正的 | duānduānzhèngzhèngde (adjective-way) |
| 呜咽 | wūyē (verb) |
| 呜呜咽咽 | wūwūyēyē (adjective) |
| 支吾 | zhīwu (verb) |
| 支支吾吾 | zhīzhīwūwū (adjective) |
| 重叠 | chóngdié (verb) |
| 重重叠叠 | chóngchóngdiédié (adjective) |
| 结巴 | jiēba (noun) |
| 结结巴巴 | jiējiēbābā (adjective) |

Some adjectives are reduplicated in the verb-way: 雪白雪白 xuěbái-xuěbái; 乌黑乌黑 wūhēiwūhēi; 瓦蓝瓦蓝 wǎlánwǎlán; 干瘦干瘦 gān-shòugānshòu. These are exceptions for adjectives.

4. Verbs and Prepositions

Most of the prepositions in contemporary Chinese are originated from verbs with only a few exceptions as 于 yú and 以 yǐ. Therefore, we notice the morphological characteristics of some prepositions which belong solely to the verbs (and adjectives, in some cases); 了 le in 为了 wèile; 着 zhe in 本着 běnzhe, etc.

Prepositions, however, do not have the reduplicated form of the verbs. Prepositional constructions usually function as adverbial adjuncts in sentences, rarely, as attributives. In sentences like 屋子朝南 wūzi cháo nán, and 母亲从来都向着小儿子 mǔqin cónglái dōu xiàngzhe xiǎo érzi, 朝 cháo and 向 xiàng are verbs. There are many prepositions which are at the same time normal verbs, e.g.: 替 tì, 给 gěi, 在 zài, 朝 cháo, 向 xiàng, 拿 ná, 叫 jiào, 让 ràng and 比 bǐ, etc.

"到" (dào) is a verb, not a preposition. It is correct if you say 他向屋子外面跑去 Tā xiàng wūzi wàimian pǎo qù, or 他跑到屋子外面去 Tā pǎodào wūzi wàimian qù, or 他终于跑到了 Tā zhōngyú pǎodàole. But if you accept the theory that "到" (dào) is a preposition and accordingly make a sentence as 他到屋子外面跑去 Tā dào wūzi wàimian pǎo qù, you are making a grammatical error, because you use this verb as a preposition.

5. Adjectives and Adverbs

Adjectives differ from adverbs mainly in grammatical functions: adjectives can play the role of predicates while adverbs do not play such a role.

*Adverbial Adjunct* is a syntactic term, not a term in the *Parts of Speech*, adverbs and adverbial adjuncts are not the same thing.

Adverbs always play the role of adverbial adjuncts in a sentence, but adverbial adjuncts can be expressed not only by adverbs, but also adjectives, nouns or different constructions.

Therefore, you cannot judge an adjective by its role of adverbial adjunct. One can hardly differentiate adverbs from adjectives with a common but not distinguishing feature — the test of adverbial adjunct. We use the "predicate-potentiality" as the touchstone.

脸很白　　liǎn hěn bái　(bái — adjective)

白跑了一趟　bái pǎole yītàng　(bái — adverb, which cannot take the position of a predicate)

学习努力　　xuéxí nǔlì　(nǔlì — adjective. In 努力学习 nǔlì xuéxí — nǔlì is also an adjective playing the role of an adverbial adjunct.)

工作积极　　gōngzuò jījí　(jījí — adjective. In 积极工作 jījí gōngzuò — jījí is also an adjective playing the role of an adverbial adjunct.)

Some adverbs and adjectives are classified by the "…是…的" construction.

This is a construction which plays the role of a predicate. E.g. 偶尔 ǒu'ěr and 偶然 ǒurán, semantically they are just alike, in the role of adverbial adjunct they are the same, but in "…是…的" construction we find only 偶然 ǒurán, not 偶尔 ǒu'ěr. Therefore, we conclude that 偶然 ǒurán is an adjective while 偶尔 ǒu'ěr is an adverb.

6. Measure Words and Nouns

In contemporary Chinese, there are only less than 200 measure words for nouns. These measure words are used before nouns in combination with numerals or demonstrative pronouns. These words have been gradually transformed into functional elements not only grammatically but also semantically in their historical development. Some linguists argue that there are much more measure words in Chinese. They classify a large amount of nouns (free or bound) as measure words. According to their theory, "桶 tǒng" in 一桶饭 yī tǒng fàn, "杯 bēi" in 一杯酒 yī bēi jiǔ, "瓶 píng" in 一瓶酒 yī píng jiǔ or 一瓶热水 yī píng rèshuǐ, "坛子 tánzi" in 一坛子酒 yī tánzi jiǔ, "缸 gāng" in 一缸米 yī gāng mǐ, "桌（子）zhuō(zi)" in 撒了一桌（子）酒 sǎle yī zhuō(zi) jiǔ, "地 dì" in 溅了一地水泥 jiànle yī dì shuǐní, and so on and so forth, have become measure words. That means, most of the modern Chinese nouns should be classified as measure words plus nouns. This is, however, not a correct approach.

As we have seen in GRAMMATICAL NOTES II, there are free words and bound words in contemporary Chinese. Both free and bound nouns can be "borrowed" as "temporary" measure words while placed in the position which is usually occupied by the measure words. They look like measure words only in the position they temporarily occupy. Semantically, and grammatically, they have not undergone even the smallest transformation. Let us make an interesting experiment:

Quite a few measure words, placed *after* the nouns they usually modify, transform the combinations thus formed into *collective nouns*, e.g.: 只 zhī after 船 chuán — chuánzhī; 本 běn after 书 shū — shūběn; 张 zhāng after 纸 zhǐ — zhǐzhāng; 辆 liàng after 车 chē — chēliàng; 匹 pǐ after 布 bù — bùpǐ; 匹 pǐ after 马 mǎ — mǎpǐ, etc. This is one of the main characteristics of the measure words. Then, what about the above-mentioned "borrowed" m.w.?

桶 tǒng after 饭 fàn —饭桶 fàntǒng(!)

杯 bēi after 酒 jiǔ —酒杯 jiǔbēi

瓶 píng after 热水 rèshuǐ —热水瓶 rèshuǐpíng

坛子 tánzi after 酒 jiǔ —酒坛子 jiǔtánzi

缸 gāng after 米 mǐ — 米缸 mǐgāng

98

桌 zhuō after 书 shū — 书桌 shūzhuō

地 dì after 水泥 shuǐní — 水泥地 shuǐnídì

You may translate these combinations in different ways, but you can never omit these cups, bottles, tables, floors or jars! These combinations will never appear as collective nouns like 船只 chuánzhī or 马匹 mǎpǐ.

Let's turn to the next argument.

In Chinese, what we call *attributives* include, in fact, two different functions, one is attributive of *descript on*, the other is attributive of *restriction*. The structural particle 的 de is used after the attributives of description, *not* after the attributives of restriction. The longer the description, the bigger the necessity of this 的 de. For example, 好朋友 hǎo péngyou, a short description, 的 de is not necessary; 很好的朋友 hěn hǎode péngyou, a longer description, 的 de is needed; 他昨天在 王府井百货大楼买的电冰箱 tā zuótiān zài Wángfǔjǐng Bǎihuò Dàlóu mǎi de diànbīngxiāng, a very long description, you should use 的 de.

For attributives of restriction, 的 de is not used, rather, not permitted. You say "*this* man" — zhèige rén, or zhèi rén, but never zhèide rén; "*which* book" — něiběn shū but never něide shū; "*three* feet" — sānzhī jiǎo, but never sānde jiǎo or sānzhīde jiǎo; "*ten* cars" — shíliàng chē, but never shíliàngde chē.

If this is true for the measure words 个 ge, 本 běn, 只 zhī and 辆 liàng, etc., what do we find in those "borrowed" measure words?

洒了一桌子酒 sǎle yī zhuōzi jiǔ, we *can say*: sǎle yī zhuōzide jiǔ!

碰了一鼻子灰 pèngle yī bízi huī, we *can say*: pèngle yī bízide huī.

一屋子烟 yī wūzi yān, we *can say*: yī wūzide yān.

一脸血 yī liǎn xiě, we *can say*: yī liǎnde xiě.

What is the reason for the existance of this phenomenon? We could find the explanable reason only in the *descriptive* character of these temporary measure words: 一脸的血 yī liǎnde xiě means 满脸的血 mǎn liǎnde xiě. It is an attributive of description, it is not an attributive of restriction — the attributive which the ordinary measure words like to perform.

# 25

## 送上门来的野味
### Sòngshang mén lái de yěwèi

齐 宣王 准备去攻打魏国。淳于 髡来见 宣王，说：
Qí Xuānwáng zhǔnbèi qù gōngdǎ Wèiguó.　Chúnyú Kūn lái jiàn Xuānwáng, shuō:

"大王 听说过 韩子卢和东郭 逡的故事吗？韩子卢
"Dàiwáng tīngshuōguo Hán Zǐlú hé Dōngguō Qūnde gùshi ma?　Hán Zǐlú

是天下 良犬，东郭 逡是海内狡兔。韩子卢追东郭 逡，
shì tiānxià liáng quǎn, Dōngguō Qūn shì hǎinèi jiǎo tù.　Hán Zǐlú zhuī Dōngguō Qūn,

从 前山追到 后山，绕着山腰追了五圈，越过 山顶 又
cóng qiánshān zhuīdào hòushān,　ràozhe shānyāo zhuīle wǔquān, yuèguò shāndǐng yòu

追了五个来回。兔子跑不动了，狗也累坏了，结果都死在
zhuīle wǔge　láihuí.　Tùzi pǎobudòng le, gǒu yě lèihuàile,　jiéguǒ dōu sǐzài

山脚下了。有个农夫路过，不费吹灰之力，就拣到一只
shānjiǎoxià le.　Yǒu ge nóngfū lùguò,　bú fèi chuī huī zhī lì,　jiù jiǎndào yizhī

死狗和一只死兔。如今齐国同 魏国已对峙多年，士兵都
sǐ gǒu hé yizhī sǐ tù.　Rújīn Qíguó tóng Wèiguó yǐ duìzhì duōnián, shìbīng dōu

疲惫不堪，老百姓也是痛苦 万状。不要 忘记，我们的
píbèi bùkān,　lǎobǎixìng yě shì tòngkǔ wànzhuàng.　Bú yào wàngjì,　wǒmende

背后还有强大的秦国和楚国在坐山观虎斗呢！假如
bèihòu hái yǒu qiángdàde Qínguó hé Chǔguó zài zuò shān guān hǔ dòu ne!　Jiǎrú

我们出 兵去攻打 魏国，恐怕那个农夫又有 现成的狗
wǒmen chū bīng qù gōngdǎ Wèiguó,　kǒngpà nèige nóngfū yòu yǒu xiànchéngde gǒu

---

据《战国策》改写。参看第36页第九篇故事的注解。

和兔子吃了！”
hé  tùzi  chī le!”

宣王 听罢，想了一会儿，说：“算了，不出兵了。”
Xuānwáng tīngbà,  xiǎngle yīhuìr,  shuō:  "Suànle,  bù chū bīng le."

| | | |
|---|---|---|
| 送上门来 | sòngshang mén lái | send sth. right to sb.'s home |
| 野味 | yěwèi | game (food) |
| 齐【齊】宣王 | Qí Xuānwáng | Duke Xuan of State Qi |
| 准备【準備】 | zhǔnbèi | prepare; intend |
| 攻打 | gōngdǎ | attack; assault |
| 魏国 | Wèiguó | the State of Wei |
| 淳于髡 | Chúnyú Kūn | *name of a person* |
| 见 | jiàn | call on (a superior or a senior in the clan hierarchy) |
| 韩子卢【盧】 | Hán Zǐlú | *name of a dog* |
| 东郭逡 | Dōngguō Qūn | *name of a hare* |
| 故事 | gùshi | story |
| 天下 | tiānxià | world |
| 良犬 | liáng quǎn | excellent dog |
| 海内 | hǎinèi | throughout the country |
| 狡兔 | jiǎo tù | wily hare |
| 追 | zhuī | chase; run after |
| 前 | qián | front |
| 后 | hòu | back |
| 绕【繞】 | rào | move round; circle; bypass |
| 山腰 | shānyāo | halfway up a mountain |
| 圈 | quān | circle |
| 越过 | yuèguò | cross |
| 山顶 | shāndǐng | mountaintop |
| 来回 | láihuǐ | round trip |
| 兔子 | tùzi | hare |

101

| | | |
|---|---|---|
| 跑不动 | pǎobudòng | cannot run; unable to run for lack of physical strength |
| 累坏【壞】了 | lèihuàile | be dead tired |
| 结果 | jiéguǒ | finally; at last; as a result |
| 死 | sǐ | die |
| 山脚下 | shānjiǎoxià | at the foot of a hill |
| 农【農】夫 | nóngfū | peasant |
| 不费吹灰之力 | bú fèi chuī huī zhī lì | as easy as blowing off dust |
| 拣 | jiǎn | pick up |
| 如今 | rújīn | now; nowadays |
| 对【對】峙 | duìzhì | confront each other |
| 士兵 | shìbīng | soldier |
| 疲惫【憊】不堪 | píbèi bùkān | utterly exhausted |
| 痛苦万状 | tòngkǔ wànzhuàng | extremely painful |
| 忘记 | wàngjì | forget |
| 强大 | qiángdà | strong |
| 坐山观【觀】虎斗【鬥】 | zuò shān guān hǔ dòu | sit on top of the mountain and watch how the tigers fight (watch while others fight, then reap the spoils when both sides are weakened) |
| 假如 | jiǎrú | supposing; in case |
| 出兵 | chū bīng | send troops |
| 恐怕 | kǒngpà | I am afraid; I think; perhaps |
| 现成 | xiànchéng | ready-made |
| 听罢【罷】 | tīngbà | after hearing (this) |
| 算了 | suànle | let it be; forget it; let it pass |
| （不出兵）了 | (bù chū bīng) le | *particle which emphasizes a changed condition or a new state of affairs* |

# 26

## 何 止 七 个!
Hézhǐ qīge

淳于 髡一天推荐了七名贤士给 宣王。 宣王 觉得
Chúnyú Kūn yī tiān tuījiànle qīmíng xiánshì gěi Xuānwáng. Xuānwáng juéde

奇怪, 说:
qíguài, shuō:

"我听说, 人才是很难得的。在一千里以内能 选到
"Wǒ tīngshuō, réncái shì hěn nándé de. Zài yìqiān lí yínèi néng xuǎndào

一个贤士, 贤士就不算少了;一百年以内能 发现 一个
yīge xiánshì, xiánshì jiù bú suàn shǎo le; yìbǎi nián yínèi néng fāxiàn yīge

圣人, 圣人就不算 少了。你一天就给我推荐了七个
shèngrén, shèngrén jiù bú suàn shǎo le. Nǐ yī tiān jiù gěi wǒ tuījiànle qīge

贤士, 看样子, 我们的贤士真太多了。"
xiánshì, kàn yàngzi, wǒmende xiánshì zhēn tài duō le."

淳于 髡 说:
Chúnyú Kūn shuō:

"同类的鸟总是聚集在一起的,同类的野兽也总是
"Tónglèide niǎo zǒng shi jùjízài yīqǐ de, tónglèide yěshòu yě zǒng shi

一道行走的。比如说,我们要寻找柴胡和桔梗这类药草,
yīdào xíngzǒu de. Bǐrú shuō, wǒmen yào xúnzhǎo cháihú hé jiégěng zhèilèi yàocǎo,

你到沼泽地去寻, 就是寻一辈子也寻不到一株; 如果你
nǐ dào zhǎozédì qù xún, jiùshi xún yī bèizi yě xúnbudào yīzhū; rúguǒ nǐ

───────────

据《战国策》改写。参看第36页第九篇故事的注解。

103

到泽黍山、梁父山的北面去找，那就可以用大车来拉
dào Zéshǔ shān,　Liángfù shānde běimiàn qù zhǎo,　nà jiù kěyǐ yòng dàchē lái lā

了。天下的事物都是同类相聚的，我们人也是这样。你
le.　Tiānxiàde shìwù dōu shì tóng lèi xiāng jù de,　wǒmen rén yě shì zhèiyàng.　Ní

要我 淳于髡 挑选贤士，真好比到河里去取水，用火石
yào wǒ Chúnyú Kūn tiāoxuǎn xiánshì,　zhēn hǎobǐ dào héli qù qǔ shuǐ, yòng huǒshí

去打火一样，有什么难办的呢？我 正 准备再给你推荐
qù dǎ huǒ yīyàng,　yǒu shénme nán bàn de ne?　Wǒ zhèng zhǔnbèi zài gěi nǐ tuījiàn

一大批贤士呢，何止这七个！ ”
yī dà pī xiánshì ne,　hézhǐ zhè qīge!"

| 何止 | hézhǐ | far more than |
| 推荐【薦】 | tuījiàn | recommend |
| 名 | míng | *m.w. for persons* |
| 贤【賢】士 | xiánshì | able and virtuous person |
| 人才 | réncái | person of talent |
| 难得 | nándé | rare; hard to get |
| 以内 | yǐnèi | inside; within |
| 选【選】 | xuǎn | select; choose |
| 算 | suàn | count; consider |
| 少 | shǎo | few; not many |
| 发现 | fāxiàn | discover |
| 圣【聖】人 | shèngrén | sage; wise man |
| 看样子 | kàn yàngzi | it seems |
| 类【類】 | lèi | sort; kind |
| 聚集 | jùjí | gather |
| 野兽【獸】 | yěshòu | wild animal; wild beast |
| 一道 | yīdào | together |
| 行走 | xíngzǒu | walk |
| 比如 | bǐrú | for instance |
| 寻【尋】找 | xúnzhǎo | look for; fetch |

| | | |
|---|---|---|
| 柴胡 | cháihú | the root of Chinese thorowax |
| 桔梗 | jiégěng | the root of balloonflower |
| 药【藥】草 | yàocǎo | medical herbs |
| 沼泽【澤】地 | zhǎozédì | marshland |
| 寻 | xún | fetch; look for |
| 就是 | jiùshi | even; though |
| 一辈子 | yī bèizi | whole life |
| 株 | zhū | *m.w. for plant* |
| 泽黍山 | Zéshǔ shān | *name of a mountain* |
| 梁父山 | Liángfù shān | *name of a mountain* |
| 北面 | běimiàn | north; northern side |
| 找 | zhǎo | look for; seek |
| 大车 | dàchē | cart |
| 拉 | lā | haul; transport by vehicle |
| 事物 | shìwù | thing; object |
| 同类相聚 | tóng lèi xiāng jù | things of one kind come together; birds of a feather flock together |
| 挑选 | tiāoxuǎn | choose; select |
| 好比 | hǎobǐ | be just like |
| 河 | hé | river |
| 取 | qǔ | get; take |
| 火石 | huǒshí | flint |
| 打火 | dǎ huǒ | strike sparks from a flint |
| 难办【難辦】 | nán bàn | difficult to do; hard to manage |
| 一大批 | yī dà pī | a large number of |

# 27

## 进　谏
### Jìnjiàn

国王即位的第二天，就召集群臣说：
Guówáng jíwèi de dì'èr tiān, jiù zhàojí qúnchén shuō:

"先王不肯听取众位的意见，一意孤行，终于战败
"Xiānwáng bù kěn tīngqǔ zhòngwèide yìjian, yī yì gū xíng, zhōngyú zhànbài

身亡。今后众位务请多多进谏，我一定虚心向众位
shēn wáng. Jīn hòu zhòngwèi wù qǐng duōduō jìnjiàn, wǒ yīdìng xūxīn xiàng zhòngwèi

请教。"
qǐngjiào."

司马说：
Sīmǎ shuō:

"陛下，这当然好罗，不过……"
"Bìxià, zhè dāngrán hǎo luo, búguò…"

国王勃然大怒，说：
Guówáng bórán dà nù, shuō:

"不过什么？！就这么办！"
"Búguò shénme?! Jiù zènme bàn!"

公孙说：
Gōngsūn shuō:

"是该照陛下说的办，但是……"
"Shì gāi zhào bìxià shuō de bàn, dànshì…"

---

据民间传说。

106

国王 怒 不 可 遏，大声 说：
Guówáng nù bù kě è, dàshēng shuō:

"但是 什么?! 就 这么 办！"
"Dànshì shénme?! Jiù zènme bàn!"

退 朝 后，公孙 对 司马 说：
Tuì cháo hòu, Gōngsūn duì Sīmǎ shuō:

"今后 我们 还是 少少 进谏 为 妙。"
"Jīnhòu wǒmen háishi shǎoshǎo jìnjiàn wéi miào."

| 进谏 | jìnjiàn | call on sb. holding high office with a certain request or admonish against sth. |
| 即位 | jíwèi | ascend the throne; come to the throne |
| 召集 | zhàojí | call together; convene |
| 群臣 | qúnchén | the ministers |
| 先王 | xiānwáng | the late King |
| 肯 | kěn | be willing to |
| 听取 | tīngqǔ | listen to |
| 众【衆】位 | zhòngwèi | you; your (pl.) |
| 意见 | yìjian | opinion |
| 一意孤行 | yī yì gū xìng | cling obstinately to one's course |

| 终于 | zhōngyú | at long last; in the end |
| 战【戰】败 | zhànbài | be defeated |
| 身亡 | shēn wáng | die |
| 今后 | jīnhòu | from now on |
| 务【務】请 | wù qǐng | please; cordially ask (you) to |
| 多多 | duōduō | more |
| 虚心 | xūxīn | open-minded |
| 司马 | Sīmǎ | *a surname* |
| 陛下 | bìxià | Your Majesty |
| 当然 | dāngrán | of course; surely |
| 罗【囉】 | luo | *a particle* |
| 不过 | búguò | however; but |
| 勃然大怒 | bórán dà nù | fly into a rage |
| 就 | jiù | just; exactly; precisely |
| 办【辦】 | bàn | do; handle |
| 公孙【孫】 | Gōngsūn | *a surname* |
| 该 | gāi | ought to; should |
| 照 | zhào | according to; in accordance with |
| 怒不可遏 | nù bù kě è | boil with rage |
| 大声 | dàshēng | loudly |
| 退朝 | tuì cháo | leave the court |
| 还是…为妙 | háishi…wéi miào | better; (we) would better |

# 28

## 多　疑
### Duōyí

用　绸料　缝　战袍是邾国的老规矩。一天，公息忌对
Yòng chóuliào féng zhànpáo shì Zhūguóde lǎo guīju.　Yī tiān,　Gōngxī Jì duì

国王　说：
guówáng shuō:

"用　绸料　缝　战袍，　不如用丝绳缝　战　袍　好。用丝
"Yòng chóuliào féng zhànpáo,　bùrú yòng sī shéng féng zhànpáo hǎo.　Yòng sī

绳　缝，　结实多了。"
shéng féng,　jiēshi duō le."

国王采纳了他的意见，又问：
Guówáng cǎinàle tāde yìjian,　yòu wèn:

"不过，　哪里可以买到那么多的丝绳呢？"
"Búguò,　nǎlí kěyí mǎidào nème duō de sī shéng ne?"

公息忌说：
Gōngxī Jì shuō:

"只要您宣布用　这样东西，　老百姓自然会造出来
"Zhǐyào nín xuānbù yòng zhèiyàng dōngxi,　lǎobǎixìng zìrán huì zàochulai

的。"
de."

于是，国王下令：今后缝战袍都要用丝绳。
Yúshì,　guówáng xiàlìng:　Jīnhòu féng zhànpáo dōu yào yòng sī shéng.

---

据《吕氏春秋》改写。《吕氏春秋》是战国（公元前475—前221年）末
秦国宰相吕不韦集合一些人共同编写的。这是一本儒家、道家及许多杂
家的代表著作。

公息忌听说国王下了这样的命令，就叫他家里的人
Gōngxī Jì tīngshuō guówáng xiàle zhèiyàngde mìnglìng, jiù jiào tā jiālide rén

都学制丝绳，供国家使用。
dōu xué zhì sī shéng, gōng guójiā shǐyòng.

公息忌有个仇人，见有机可乘，就跑去对国王说：
Gōngxī Jì yǒu ge chóurén, jiàn yǒu jī kě chéng, jiù pǎoqù duì guówáng shuō:

"国王陛下，您知道公息忌为什么 主张用丝绳 缝
"Guówáng bìxià, nín zhīdào Gōngxī Jì wèi shénme zhǔzhāng yòng sī shéng féng

战袍吗？因为他家里人都会干这一行，这样，他就可以
zhànpáo ma? Yīnwèi tā jiāli rén dōu huì gàn zhèi yī háng, zhèyàng, tā jiù kěyǐ

赚 大钱了！"
zhuàn dà qián le!"

国 王听了这话，对公息忌很不满意。第二天，国王又
Guówáng tīngle zhè huà, duì Gōngxī Jì hěn bù mǎnyì. Dì'èr tiān, guówáng yòu

下令不准 用丝绳 缝 战袍，仍旧用过去的办法缝。
xiàlìng bù zhǔn yòng sī shéng féng zhànpáo, réngjiù yòng guòqùde bànfǎ féng.

邾国的国王 真是 多疑啊！如果用丝绳 缝 的确结实，
Zhūguóde guówáng zhēn shì duōyí a! Rúguǒ yòng sī shéng féng díquè jiēshi,

那么公息忌家里多 生产 些丝绳，又有 什么 不好呢？
nàme Gōngxī Jì jiāli duō shēngchǎn xiē sī shéng, yòu yǒu shénme bùhǎo ne?

| 多疑 | duōyí | oversensitive; oversuspicious |
|---|---|---|
| 绸料 | chóuliào | silk fabric |
| 缝 | féng | stitch; sew; tailoring |
| 战袍 | zhànpáo | warrior's robe |
| 邾国 | Zhūguó | the State of Zhu |
| 规矩 | guīju | rule; established practice; custom |
| 公息忌 | Gōngxī Jì | *name of a person* |
| 不如 | bùrú | it would be better to; not as good as |
| 丝绳 | sī shéng | silk rope |

110

| | | |
|---|---|---|
| 结实 | jiēshi | durable; solid; sturdy |
| 采【採】纳 | cǎinà | accept; adopt |
| 只要 | zhǐyào | provided; so long as |
| 宣布 | xuānbù | announce; declare |
| 自然 | zìrán | of course; naturally |
| 造 | zào | produce; make |
| 于是 | yúshì | thereupon; as a result |
| 制【製】 | zhì | manufacture; produce |
| 供 | gōng | for (the use of); supply |
| 国家 | guójiā | country |
| 使用 | shǐyòng | use |
| 仇人 | chóurén | personal enemy |
| 有机【機】可乘 | yǒu jī kě chéng | there is a loophole that can be used |
| 跑 | pǎo | run; rush |
| 主张 | zhǔzhāng | advocate; stand for |
| 干【幹】 | gàn | do; make |
| 行 | háng | trade; profession; line of business |
| 可以 | kěyǐ | can; may |
| 赚钱 | zhuàn qián | make a profit; make money |
| 满意 | mǎnyì | be satisfied |
| 准 | zhǔn | allow; permit |
| 仍旧【舊】 | réngjiù | remain the same; as before; still |
| 过去 | guòqù | former; in the past |
| 的确【確】 | díquè | indeed |
| 生产【產】 | shēngchǎn | produce; production |

# 29

## 独　奏
### Dúzòu

齐　宣王　喜爱吹竽，　又爱讲　排场，　所以他那个吹竽
Qí Xuānwáng xǐ'ài chuī yú, yòu ài jiǎng páichang, suǒyǐ tā nèige chuī yú

的乐队足足有三百人，他常叫这三百人一齐吹竽给他
de yuèduì zúzú yǒu sānbǎi rén, tā cháng jiào zhè sānbǎi rén yīqí chuī yú gěi tā

听。
tīng.

有个南郭　先生知道这个　情况，　就去见宣王，说
Yǒu ge Nánguō xiānsheng zhīdào zhèige qíngkuàng, jiù qù jiàn Xuānwáng, shuō

自己吹得如何如何，　请求参加这个乐队为宣王吹竽。
zìjǐ chuīde rúhé rúhé, qǐngqiú cānjiā zhèige yuèduì wèi Xuānwáng chuī yú.

宣王把他编进乐队，　并且给他很高的薪水。
Xuānwáng bǎ tā biānjìn yuèduì, bìngqiě gěitā hěn gāode xīnshui.

宣王死了，　湣王接位。湣王也喜爱吹竽，　但是他不
Xuānwáng sǐle, Mínwáng jiē wèi. Mínwáng yě xǐ'ài chuī yú, dànshì tā bù

喜欢大乐队的合奏，他喜欢独奏。湣王接位不久便宣布，
xǐhuan dà yuèduìde hézòu, tā xǐhuan dúzòu. Mínwáng jiē wèi bùjiǔ biàn xuānbù,

他要那些吹竽的乐师一个一个地演奏给他听。
tā yào nèixiē chuī yú de yuèshī yīge yīgede yǎnzòu gěi tā tīng.

南郭　先生一听，　连夜逃跑了。原来他在大乐队里
Nánguō xiānsheng yī tīng, liányè táopǎole. Yuánlái tā zài dà yuèduìli

---

据《韩非子》改写。参看第72页第十九篇故事的注解。

112

混了这么多年，却根本不会吹竽。
hùnle zènme duō nián, què gēnběn bú huì chuī yú.

| 独【獨】奏 | dúzòu | solo |
|---|---|---|
| 喜爱 | xǐ'ài | be fond of; like |
| 吹 | chuī | play (wind instruments) |
| 竽 | yú | an ancient wind instrument in the shape of the modern reed-pipe *sheng* |
| 讲排场 | jiǎng páichang | go in for ostentation and extravagance |
| 乐队【樂隊】 | yuèduì | orchestra |
| 足足 | zúzú | full; as much as |
| 一齐【齊】 | yīqí | together; all at once |
| 南郭先生 | Nánguō xiān-sheng | Mr. Nanguo |
| 情况 | qíngkuàng | situation; state of events |
| 如何 | rúhé | how |
| 请求 | qǐngqiú | request; ask |

| | | |
|---|---|---|
| 参【參】加 | cānjiā | join; attend; take part in |
| 编 | biān | put; arrange; group |
| 并且 | bìngqiě | and; moreover |
| 高 | gāo | high |
| 薪水 | xīnshui | pay; salary |
| 湣王 | Mǐnwáng | the Duke of Min |
| 合奏 | hézòu | instrumental ensemble |
| 久 | jiǔ | long (time) |
| 便 | biàn | soon; as soon as |
| 宣布 | xuānbù | declare; announce |
| 乐师【師】 | yuèshī | musician |
| 一个一个地 | yīge yīgede | one by one |
| 演奏 | yǎnzòu | play; perform |
| 连夜 | liányè | that very night |
| 逃 | táo | run away |
| 原来 | yuánlái | it turns out that |
| 混 | hùn | muddle along; drift along |
| 却 | què | but; however |
| 根本 | gēnběn | radically; thoroughly; at all; simply |

# 30

## 为什么是两种感情
### Wèi shéme shì liǎngzhǒng gǎnqíng

鳝鱼的 形状 很 象蛇，蚕的样子又跟洋剌子 相仿。
Shànyúde xíngzhuàng hěn xiàng shé,　cánde yàngzi yòu gēn yánglázi　xiāngfǎng.

但是，人们见了蛇，往往 吓得叫出 声来；碰上洋剌子，
Dànshì,　　rénmen jiànle shé, wǎngwǎng xiàde jiàochū shēng lai; pèngshang yánglázi,

也会不寒而栗。
yě huì bù hán ér lì.

人们对鳝鱼和蚕，又是怎么一种态度呢？打鱼的 钓到
Rénmen duì shànyú hé cán,　yòu shì zěnme yīzhǒng tàidu ne?　Dǎ yú de diàodào

一条鳝鱼，高高兴兴地用 双 手 把它捏住；养蚕的 整
yītiáo shànyú,　gāogāoxìngxìngde yòng shuāngshǒu bǎ tā niēzhù; yǎng cán de zhěng

天 整 夜同蚕在一起，用 上等的桑叶喂它，象爱护自己的
tiān zhěng yè tóng cán zài yīqí,　yòng shàngděngde sāngyè wèi tā, xiàng àihù　zìjǐde

据《韩非子》改写。参看第72页第十九篇故事的注解。

孩子一样地爱护着蚕。
háizi yīyàngde àihùzhe cán.

这都是因为蚕和鳝鱼对人们有好处的缘故。某些人
Zhè dōu shì yīnwèi cán hé shànyú duì rénmen yǒu hǎochu de yuángù. Mǒuxiē rén

很了解蛇的用处,他们对蛇的感情 同一般的人也是不尽
hěn liǎojiě shéde yòngchu, tāmen duì shé de gǎnqíng tóng yībānde rén yě shì bú jìn

相 同 的。
xiāng tóng de.

| 感情 | gǎnqíng | feeling |
|---|---|---|
| 鳝鱼 | shànyú [条tiáo] | eel |
| 形状 | xíngzhuàng | appearance; shape; form |
| 像 | xiàng | resemble; like |
| 蛇 | shé [条tiáo] | snake |
| 蚕【蠶】 | cán | silkworm |
| 样子 | yàngzi | shape; appearance |
| 洋剌子 | yánglázi | kind of greenish worm which causes a feeling of irritation on the skin |
| 相仿 | xiāngfǎng | be very much alike |
| 人们 | rénmen | people |
| 往往 | wǎngwǎng | often |
| 叫出声来 | jiàochū shēng lai | cry out |
| 碰上 | pèngshang | touch; run into |
| 不寒而栗 | bù hán ér lì | shiver all over though not cold |
| 态【態】度 | tàidu | attitude; approach; manner |
| 打鱼的 | dǎ yú de | fisherman |
| 钓 | diào | fish with a hook and line |
| 高高兴兴 | gāogāoxìngxìng | glad; cheerful |
| 双【雙】手 | shuāngshǒu | two hands; both hands |
| 捏 | niē | hold between the fingers |

| | | |
|---|---|---|
| 养【養】 | yǎng | raise; grow; keep |
| 整 | zhěng | whole |
| 整天整夜 | zhěng tiān zhěng yè | days and nights |
| 上等 | shàngděng | best quality |
| 桑叶 | sāngyè | mulberry leaf |
| 喂【餵】 | wèi | feed |
| 爱护 | àihù | cherish; treasure; take good care of |
| 因为…的缘故 | yīnwèi…de yuángù | because; the reason was |
| 对…有好处【處】 | duì…yǒu hǎochu | be of benefit to; be good for |
| 某些 | mǒuxiē | certain (*pl.*) |
| 了解 | liǎojiě | know |
| 用处 | yòngchu | use; usage |
| 一般 | yībān | usual; common; ordinary |
| 不尽【盡】相同 | bú jìn xiāng tóng | not exactly the same |

# 31

## 楚 王 击 鼓
### Chǔwáng jī gǔ

楚 厉王 通告百姓，假如国家发生急事，就击鼓为号，
Chǔ Lìwáng tōnggào bǎixìng, jiǎrú guójiā fāshēng jíshì, jiù jī gǔ wéi hào,

老百姓 听到 宫门外的鼓 响，都 要立刻动员起来。
lǎobǎixìng tīngdào gōngménwàide gǔ xiǎng, dōu yào lìkè dòngyuánqǐlai.

有一天，厉王 喝醉了酒，从鼓架旁边 经过，一时 兴
Yǒu yī tiān, Lìwáng hēzuìle jiǔ, cóng gǔjià pángbiān jīngguò, yīshí xìng

起，竟 胡乱地 打起 鼓来。老百姓 听到 鼓声，以为 是
qǐ, jìng húluànde dǎqǐ gǔ lái. Lǎobǎixìng tīngdào gǔ shēng, yǐwéi shì

王宫里出了急事，从四面八方跑来，宫门外黑压压地
wánggōngli chūle jíshì, cóng sì miàn bā fāng pǎolái, gōngménwài hēiyāyāde

围了一大片人。
wéile yī dà piàn rén.

厉王派人告诉大家：
Lìwáng pài rén gàosu dàjiā:

"刚才 国王击鼓，并没有什么急事，只是 因为 喝了
"Gāngcái guówáng jī gǔ, bìng méi yǒu shénme jí shì, zhǐshì yīnwèi hēle

些酒，一时高兴，所以打了一阵鼓。"
xiējiǔ, yīshí gāoxìng, suǒyǐ dǎ le yīzhèn gǔ."

老百姓都 回家去了。
Lǎobǎixìng dōu huí jiā qù le.

---

据《韩非子》改写。参看第72页第十九篇故事的注解。

隔了几个月，楚国真的 发生了紧急 情况， 宫门外的
Géle　jǐge yuè,　Chǔguó zhēnde fāshēngle　jǐnjí qíngkuàng,　gōngménwàide

鼓从早 响到 晚， 可是再没有一个老百姓跑到 宫门前
gǔ cóng zǎo xiǎngdào wǎn,　kěshì zài méi yǒu　yīge　lǎobǎixìng pǎodào gōngménqián

来了。
lái le.

| | | |
|---|---|---|
| 楚王 | Chǔwáng | the Duke of Chu |
| 击【擊】鼓 | jī gǔ | beat the drum |
| 厉【厲】王 | Lìwáng | the Duke Li of Chu |
| 通告 | tōnggào | give public notice |
| 假如 | jiǎrú | in case; if |
| 发生 | fāshēng | happen; occur |
| 急事 | jíshì | emergency; urgent task |
| …为号【號】 | … wéi hào | as signal |
| 宫门 | gōngmén | entrance of the palace |
| 响【響】 | xiǎng | sound; resound; make a noise |
| 要 | yào | must |
| 立刻 | lìkè | immediately; at once |
| 动员 | dòngyuán | mobilize |
| 喝醉 | hēzuì | to be drunken |
| 架 | jià | rack; stand |
| 经过【經過】 | jīngguò | passby or through |
| 一时 | yīshí | for the moment; temporarily |
| 兴【興】起 | xìng qǐ | at the height of one's jubilant mood |
| 竟 | jìng | go so far as to; unexpectedly |
| 胡乱【亂】（地） | húluàn(de) | at random; carelessly |
| 打鼓 | dǎ gǔ | beat the drum |
| 鼓声【聲】 | gǔ shēng | sound of the drum |
| 以为 | yǐwéi | think; assume; take for |
| 王宫 | wánggōng | palace |
| 出事 | chū shì | an accident takes place |

119

| 四面八方 | sì miàn bā fāng | all directions |
| 黑压【壓】压（地） | hēiyāyā(de) | a dark mass of |
| 一大片 | yī dà piàn | a mass of |
| 派 | pài | send |
| 刚才 | gāngcái | just a while ago |
| 并（没有） | bìng (méi yǒu) | there's no ... (as you might have been thinking) |
| 什么 | shénme | many |
| 一阵 | yīzhèn | a (short) period of time |
| 隔 | gé | after; at an interval of |
| 真的 | zhēnde | truly; true; real |
| 紧急 | jǐnjí | urgent; critical |
| 从早…到晚 | cóng zǎo...dào wǎn | from morning till night |
| 可是 | kěshì | but |
| 再 | zài | once more; again; another time |

# 32

# 漂亮的盒子

Piàoliangde hézi

楚国 有个珠宝 商人，到 郑国 去兜销珠宝。他让
Chǔguó yǒu ge zhūbǎo shāngrén, dào Zhèngguó qù dōuxiāo zhūbǎo. Tā ràng

人 用 名贵的 木材 雕了一只 盒子， 然后 把珠宝 装在
rén yòng míngguìde mùcái diāole yìzhī hézi, ránhòu bǎ zhūbǎo zhuāngzài

里面。
lǐmian.

有个 郑国人， 特别 欣赏这个 装 珠宝的盒子， 就出
Yǒu ge Zhèngguórén, tèbié xīnshǎng zhèige zhuāng zhūbǎo de hézi, jiù chū

高价买了去。他把盒子留下，却把里面的珠宝都送还给了
gāojià mǎile qù. Tā bǎ hézi liúxià, què bǎ lǐmiande zhūbǎo dōu sònghuángěile

那个珠宝 商人。
nèige zhūbǎo shāngrén.

据《田俅子》改写。《田俅子》的作者是墨子的学生田俅子（田鸠），
战国（公元前475—前221年）齐人。

这个郑国人只知道盛 珠宝的盒子值钱，却不知道
Zhèige Zhèngguórén zhǐ zhīdao chéng zhūbǎo de hézi zhíqián, què bù zhīdao

盒子里的珠宝的价值比那只漂亮的盒子要高出十多倍
hézi lide zhūbǎode jiàzhí bǐ nèizhī piàoliangde hézi yào gāochū shí duō bèi

呢！
ne!

| | | |
|---|---|---|
| 盒子 | hézi [只 zhī] | box |
| 珠宝 | zhūbǎo | jewelry |
| 商人 | shāngrén | merchant |
| 郑【鄭】国 | Zhèngguó | the State of Zheng |
| 兜销 | dōuxiāo | peddle |
| 名贵 | míngguì | famous and precious |
| 木材 | mùcái | wood; lumber |
| 雕 | diāo | carve |
| 只 | zhī | *m.w. for box* |
| 然后 | ránhòu | after that; then |
| 装 | zhuāng | fill; put; load; pack |
| 特别 | tèbié | especially |
| 欣赏 | xīnshǎng | appreciate; admire |
| 出 | chū | pay |
| 高价【價】 | gāojià | high price |
| 留下 | liúxià | accept; take; keep |
| 还【還】 | huán | return |
| 值钱 | zhíqián | valuable; costly |
| 价值 | jiàzhí | price |
| 倍 | bèi | time |

122

# GRAMMATICAL NOTES IV

## On Complements

Complements in Chinese are expressed by words or word-groups after the verb-predicate or the adjective-predicate of a sentence. There are seven kinds of complements:

1. Descriptive Complement

The main characteristics of descriptive complements are: The verb (or, rarely, the adjective) preceding such a complement usually takes a 得 de or, sometimes, a 个 ge as its morphological formation. Besides, such a complement in a sentence plays a role no less important than the predicate (verb or adjective) itself.

这个姑娘长得漂亮。 Zhèige gūniang zhǎngde piàoliang.

汽车开得不快。 Qìchē kāide bú kuài.

他唱得没有你好。 Tā chàngde mèi yǒu nǐ hǎo.

把我笑得肚子都疼了。 Bǎ wǒ xiàode dùzi dōu téngle.

摔了个鼻青脸肿。 Shuāilege bí qīng liǎn zhǒng.

把它打个天翻地覆。 Bǎ tā dǎge tiān fān dì fù.

When a V-O construction takes a descriptive complement, the verb (V) must be repeated before 得 de and the complement, e.g.:

他们俩谈话谈得很投机。 Tāmen liǎ tánhuà tánde hěn tóujī.

魏国连年打仗打得民不聊生。 Wèiguó liánnián dǎ zhàng dǎde mín bù liáo shēng.

2. Resultative Complement

From the point of view of word-formation in modern Chinese, V+RC is one of the most productive combinations through which a great number of contemporary words has come into daily application, e.g.: 提高 tígāo, 推动 tuīdòng, 看见 kànjian, 听见 tīngjian, 打倒 dǎdǎo, 记住 jìzhù, 推翻 tuīfān, etc., and this tendency of forming new words

123

still continues in a large scale, in many different dialects.

| 把他打趴下了 | bǎ tā dǎpāxiale |
|---|---|
| 把我弄糊涂了 | bǎ wǒ nònghútule |
| 看花了眼 | kànhuāle yǎn |
| 小心挤歪了脖子 | xiǎoxin jǐwāile bózi |
| 话可得说清楚 | huà kě děi shuōqīngchu |

The *Potential Form* of Resultative Complement:

| 这件事说不清楚。 | Zhèjiàn shì shuōbuqīngchu. |
|---|---|
| 怎么说不清楚？说得清楚！ | Zěnme shuōbuqīngchu? Shuōde qīngchu! |
| 汽车出了毛病，开不快了！ | Qìchē chūle máobìng, kāibukuàile! |
| 卖完了，买不着了。 | Màiwánle, mǎibuzháole. |
| 他骂人，谁受得了？ | Tā mà rén, shéi shòudeliǎo? |

3. Directional Complement

| 他给我寄来一封信。 | Tā gěi wǒ jìlái yīfēng xìn. |
|---|---|
| 他想给我寄个录音机来。 | Tā xiǎng gěi wǒ jì ge lùyīnjī lái. |
| 他准备带个录音机回来。 | Tā zhǔnbèi dài ge lùyīnjī huílai. |
| 他带回两个录音机来。 | Tā dàihuí liǎngge lùyīnjī lái. |
| 他带回来两个录音机。 | Tā dàihuílai liǎngge lùyīnjī. |

The *Potential Form* of Directional Complement:

| 带不回来 | dàibuhuílai |
|---|---|
| 那种事儿他是做得出来的。 | Nèi zhǒng shìr tā shì zuòdechūlai de. |
| 想不起来 | xiǎngbuqǐlai |
| 这样好像太说不过去了。 | Zhèyàng hǎoxiàng tài shuōbuguòqù le. |
| 这件衣服穿得出去吗？ | Zhèi jiàn yīfu chuāndechūqù ma? |

4. Complement of Degree

These complements denote not a normal degree, but an extreme degree of a certain quality. They are expressed by 多了 duōle, 极了 jíle, 得很 dehěn, 远了 yuǎnle, 死了 sǐle, 透了 tòule, etc.

| 这两天热多了。 | Zhèi liǎng tiān rè duōle. |
|---|---|
| 气死了！ | Qì sǐle! |

| 恨透了 | hèn tòule |
|---|---|
| 讨厌得很 | tǎoyànde hěn |
| 差远了 | chà yuǎnle |

5. Complement of Frequencies of Action

These complements are expressed by numerals plus measure words for verbs, e.g.: 一下 yīxià, 两遍 liǎngbiàn, 三次 sāncì, 四回 sìhuí, 五趟 wǔtàng, etc.

| 吃过一回 | chīguo yīhuí |
|---|---|
| 去过三次 | qùguo sāncì |
| 看了四遍 | kànle sìbiàn |
| 吓唬他一下 | xiàhu tā yīxià |
| 白跑了一趟 | bái pǎole yītàng |

6. Complement of Time

Complement of time tells us how long an action lasts. It has nothing to do with the questions as to *when* or *at what time* the action takes place.

| 再坐一会儿！ | Zài zuò yìhuìr! |
|---|---|
| 金道士整整走了二十天。 | Jīn dàoshi zhěngzhěngzǒule èrshí tiān. |
| 我们忙了三天了。 | Wǒmen mángle sān tiān le. |

7. Objective Complement

| 屋子里坐满了人。 | Wūzili zuòmǎnle rén. |
|---|---|
| （试比：屋子里已经坐满了。） | (cf. Wūzili yǐjing zuòmǎnle.) |
| 一次可以进去两个人。 | Yīcì kěyǐ jìnqu liǎngge rén. |
| 船头上来了两个人，一老一少。 | Chuántóushang láile liǎngge rén, yī lǎo yī shào. |
| "忽"一下，走了一大片。 | "Hū" yīxià, zǒule yīdàpiàn. |
| 客厅里坐着个男人，不知是谁来了。 | Kètīngli zuòzhe ge nánren, bù zhī shì shéi láile. |

We call these elements objective complements, because they occupy the position of the ordinary objects. But they are not objects, since they do not "receive" the action, on the contrary, they "make" the action denoted by the verb-predicate. They are not subjects either, because they do not occupy the position (before the predicate) which the ordinary subjects should take. This is the reason why we call it objective complement.

In using these complements, we should notice the following:

1) They denote something connected with the meaning of appearance, disappearance or existance of certain persons or things;

2) The sentences with such a complement usually start with an adverbial adjunct of time, place or manner of action;

3) If we say a descriptive complement is as important as the predicate (verb or adjective) itself, we may also say that the objective complement is as important as the subject in a sentence.

# 33

## 推　荐
### Tuījiàn

晋平公 问祁 黄羊：
Jìn Pínggōng wèn Qí Huángyáng:

"南阳县 缺个 县长，你看派谁去 当合适？"
"Nányáng xiàn quē ge xiànzhǎng, nǐ kàn pài shéi qù dāng héshì?"

祁 黄羊 说：
Qí Huángyáng shuō:

"叫 解狐去 最合适了。"
"Jiào Xiè Hú qù zuì héshì le."

平公 惊奇地问：
Pínggōng jīngqíde wèn:

"解狐不是你的 仇人 吗？你 为什么 要 推荐他呢？"
"Xiè Hú bú shì nǐde chóurén ma? Nǐ wèishénme yào tuījiàn tā ne?"

祁 黄羊 说：
Qí Huángyáng shuō:

"你只 问我 派谁去 合适，你并 没有 问我，解狐是 不是
"Nǐ zhǐ wèn wǒ pài shéi qù héshì, nǐ bìng méi yǒu wèn wǒ, Xiè Hú shìbushì

我的仇人 啊！"
wǒde chóurén a!"

解狐 当 南阳县的 县长，替老百姓办了 许多好事，
Xiè Hú dāng Nányáng xiànde xiànzhǎng, tì lǎobǎixìng bànle xǔduō hǎo shì,

---

据《吕氏春秋》改写。参看第109页第二十八篇故事的注解。

大家都歌颂他。
dàjiā dōu gēsòng tā.

过了一些日子，平公 又 问祁黄羊：
Guòle yìxiē rìzi, Pínggōng yòu wèn Qí Huángyáng:

"现在朝廷里缺个法官，你看谁 能 胜任？"
"Xiànzài cháotíngli quē ge fǎguān, nǐ kàn shéi néng shèngrèn?"

祁 黄羊 回答：
Qí Huángyáng huídá:

"祁午 能够 胜任 的。"
"Qí Wǔ nénggòu shèngrèn de."

平 公又奇怪起来了，问道：
Pínggōng yòu qíguài qǐlaile, wèndào:

"祁午不是你的儿子吗？"
"Qí Wǔ bú shì níde érzi ma?"

祁 黄羊 说：
Qí Huángyáng shuō:

"你只问我谁能 胜任，你并没 有问我，祁午是不是
"Nǐ zhǐ wèn wǒ shéi néng shèngrèn, nǐ bìng méi yǒu wèn wǒ, Qí Wǔ shìbúshì

我的儿子啊！"
wǒde érzi a!"

祁午 当 法官，替老百姓办了不少 好事，很受大家的
Qí Wǔ dāng fǎguān, tì lǎobǎixìng bànle bù shǎo hǎo shì, hěn shòu dàjiāde

称赞。
chēngzàn.

孔子 听到这 两件事，说：
Kǒngzǐ tīngdào zhè liǎngjiàn shì, shuō:

"祁 黄羊 推荐人，完全拿才和德做 标准，不因为
"Qí Huángyáng tuījiàn rén, wánquán ná cái hé dé zuò biāozhǔn, bù yīnwèi

是自己的仇人，存了偏见，便不推荐他；也不因为是
shì zìjǐde chóurén, cúnle piānjiàn, biàn bù tuījiàn tā; yě bù yīnwèi shì

128

自己的儿子，怕人议论，而不推荐。象 祁 黄 羊 这 样
zìjǐde　　érzi,　　　pà rén yìlùn,　　　ér bù tuījiàn.　Xiàng Qí Huángyáng zhèiyàng

的人，才算得上 '大公无私' 啊！"
de rén,　cái suàndeshàng　'dà gōng wú sī'　　a!"

| 推荐 | tuījiàn | recommend |
|---|---|---|
| 晋平公 | Jìn Pínggōng | Duke Ping of the State of Jin |
| 祁黄羊 | Qí Huángyáng | *name of a person* |
| 南阳【陽】县【縣】 | Nányáng xiàn | Nanyang County |
| 缺 | quē | lack |
| 县长 | xiànzhǎng | county magistrate |
| 当【當】 | dāng | be; work as; serve as |
| 合适【適】 | héshì | appropriate; suitable |
| 解狐 | Xiè Hú | *name of a person* |
| 惊奇 | jīngqí | surprise |
| 不是…吗？ | búshì...ma? | isn't it? |
| 仇人 | chóurén | personal enemy |
| 替 | tì | for; on behalf of |
| 歌颂 | gēsòng | praise |
| 日子 | rìzi | time; days |
| 朝廷 | cháotíng | court; (royal) government |
| 法官 | fǎguān | judge |
| 胜【勝】任 | shèngrèn | competent; qualified |
| 祁午 | Qí Wǔ | *name of a person* |
| 能够 | nénggòu | be capable; can |
| 奇怪 | qíguài | strange; odd |
| 儿子 | érzi | son |
| 受 | shòu | be (*passive*); receive; accept |
| 称【稱】赞 | chēngzàn | praise; acclaim; commend |
| 完全 | wánquán | perfectly; completely; entirely |
| 拿 | ná | take sth. as; use; with |
| 才 | cái | ability |

129

| | | |
|---|---|---|
| 德 | dé | moral integrity; virtue |
| 标准【標準】 | biāozhǔn | standard; criterion |
| 存 | cún | cherish; harbor; keep |
| 偏见 | piānjiàn | prejudice |
| 怕 | pà | fear; be afraid of |
| 议论【議論】 | yìlùn | comment; talk |
| 而 | ér | and |
| 算得上 | suàndeshàng | can be regarded as; worth |
| 大公无【無】私 | dà gōng wú sī | unselfish; perfectly impartial |

# 34

## 拼 命
Pīn mìng

楚国 有个青年， 名字 叫次非， 他 在 干队 地方 买到
Chǔguó yǒu ge qīngnián, míngzi jiào Cìfēi, tā zài Gānduì dìfang mǎidào

一把宝剑， 就高高兴兴地 坐上 渡船回家去。船 到 江
yībǎ bǎojiàn, jiù gāogāoxìngxìngde zuòshàng dùchuán huí jiā qù. Chuán dào jiāng

中心， 忽然水里冒出 两条恶龙， 绕着 渡船 上下翻腾。
zhōngxīn, hūrán shuǐli màochu liǎngtiáo è lóng, ràozhe dùchuán shàng xià fānténg.

渡船 眼看就要沉没， 全船的人都吓得魂飞魄散， 不 知
Dùchuán yǎnkàn jiù yào chénmò, quánchuánde rén dōu xiàde hún fēi pò sàn, bù zhī

如何是好。
rúhé shì hǎo.

次非问 船老大：
Cìfēi wèn chuánlǎodà:

"渡船 遇上 这样的恶龙， 还能 有救吗？"
"Dùchuán yùshang zhèiyàngde è lóng, hái néng yǒu jiù ma?"

船老大说：
Chuánlǎodà shuō:

"渡船 遇上恶龙， 就算完了， 我们 都 活不成了。"
"Dùchuán yùshang è lóng, jiù suàn wánle, wǒmen dōu huóbuchéng le."

---

据《淮南子》改写。《淮南子》是一本以道家思 想为主的杂家著作，西
汉（公元前206—公元25年）淮南王刘安（公元前179—前122年）和一些
人共同撰写。

次非拔出宝剑，对大家说：
Cìfēi báchū bǎojiàn, duì dàjiā shuō:

"过去渡船的 乘客 被恶龙所害， 都是因为在危急的
"Guòqù dùchuánde chéngkè bèi è lóng suǒ hài, dōu shì yīnwèi zài wēijíde

时刻束手无策，带着武器也不敢去同恶龙拼个你死我
shíkè shù shǒu wú cè, dàizhe wǔqì yě bù gǎn qù tóng è lóng pīnge nǐ sí wǒ

活，当然保不住性命。现在既然性命 难保， 我就索性
huó, dāngrán bǎobuzhù xìngmìng. Xiànzài jìrán xìngmìng nán bǎo, wǒ jiù suǒxìng

去跟恶龙拼了！ "
qù gēn è lóng pīnle!"

次非举起宝剑， 跳进水里，跟恶龙搏斗，终于把两条
Cìfēi jǔqǐ bǎojiàn, tiàojìn shuǐli, gēn è lóng bódòu, zhōngyú bǎ liǎngtiáo

恶龙 都杀了。渡船上的人都 保全了 性命。
è lóng dōu shāle. Dùchuánshangde rén dōu bǎoquánle xìngmìng.

| 拼命 | pīn mìng | defy death; risk one's life |
|---|---|---|
| 青年 | qīngnián | youth |
| 名字 | míngzi | name |
| 次非 | Cìfēi | *name of a person* |
| 干队 | Gānduì | *name of a place* |
| 把 | bǎ | *m.w. for sword* |
| 宝剑【寶劍】 | bǎojiàn [把 bǎ] | a double-edged sword |
| 渡船 | dùchuán | ferryboat |
| 回家 | huí jiā | go back home |
| 江 | jiāng | river |
| 中心 | zhōngxīn | centre; in mid (stream) |
| 忽然 | hūrán | suddenly |
| 冒出 | màochu | emerge; emit |
| 条 | tiáo | *m.w. for dragon* |
| 恶龙【惡龍】 | è lóng | fierce dragon |
| 绕【繞】 | rào | circle |

| 上下 | shàng xià | up and down |
| 翻腾 | fānténg | move up and down, to and fro; turn again and again |
| 眼看 | yǎnkàn | in a moment; soon |
| 沉没 | chénmò | sink |
| 全 | quán | all; whole; entire |
| 魂飞魄散 | hún fēi pò sàn | out of one's wits |
| 如何是好 | rúhé shì hǎo | what to do next |
| 船老大 | chuánlǎodà | boatman |
| 遇上 | yùshang | meet; encounter; come across |
| 有救 | yǒu jiù | can be saved |
| 完 | wán | finish |
| 活不成 | huóbuchéng | can no longer live |
| 拔 | bá | draw |
| 过去 | guòqù | in the past |
| 乘客 | chéngkè | passenger |
| 被…所… | bèi...suǒ... | by (*passive*) |
| 害 | hài | kill; murder |
| 危急 | wēijí | in imminent danger; critical |
| 时刻 | shíkè | time; juncture |
| 束手无策 | shù shǒu wú cè | feel helpless; be at a loss what to do |
| 带 | dài | carry |
| 武器 | wǔqì | weapon |
| 拼 | pīn | be ready to risk one's life |
| 你死我活 | nǐ sǐ wǒ huó | life-and-death |
| 保不住 | bǎobuzhù | cannot keep; unable to save (one's own life) |
| 性命 | xìngmìng | life |
| 既然 | jìrán | now that; since; as |
| 保 | bǎo | protect; maintain; preserve |
| 索性 | suǒxìng | straightforward; simply; flatly; might as well |

| 举【舉】 | jǔ | lift; raise; hold up |
| 跳 | tiào | jump |
| 搏斗 | bódòu | struggle; fight |
| 终于 | zhōngyú | at last; finally; in the end |
| 杀 | shā | kill |
| 保全 | bǎoquán | save from damage; preserve |

# 35

## 好大的台基
### Hǎo dàde táijī

魏王 心血来潮， 决定造一座 很高很高的 中天台。
Wèiwáng xīn xiě lái cháo， juédìng zào yīzuò hěn gāo hěn gāode Zhōngtiān tái.

许多 大臣都去 劝谏， 请他打消 这个 主意， 魏王 根本
Xǔduō dàchén dōu qù quànjiàn， qíng tā dǎxiāo zhèige zhǔyi. Wèiwáng gēnběn

不听， 为了 免得 再有人来反对，魏王下令： 有敢劝阻者，
bù tīng， wèile miǎnde zài yǒu rén lái fǎnduì， Wèiwáng xiàlìng： Yǒu gǎn quànzǔzhě,

杀无赦。
shā wú shè.

许绾 听到这个消息， 扛着一把铁锹去见 魏王 说：
Xǔ Wǎn tīngdào zhèige xiāoxi， kángzhe yībǎ tiěqiāo qù jiàn Wèiwáng shuō:

"听说 大王要造 中天 台，我愿意尽一把力！"
"Tīngshuō dàiwáng yàozào Zhōngtiān tái， wǒ yuànyi jìn yībǎ lì!"

魏王 说：
Wèiwáng shuō:

"象 你 这样的人， 能出什么力呢？"
"Xiàng nǐ zhèiyàngde rén， néng chū shénme lì ne?"

许绾 说：
Xǔ Wǎn shuō:

"我虽然力气不大， 但是为了造 中天台，我是能够
"Wǒ suīrán lìqi bú dà， dànshì wèile zào Zhōngtiān tái， wǒ shì nénggòu

---

据《说苑》改写。参看第39页第十篇故事的注解。

出一把力的。 听说，天地相隔一万五千里， 中天台有
chū yībǎ lì de.　Tīngshuō,　tiān dì xiānggé yīwàn wǔqiān lǐ,　Zhōngtiān tái yǒu

半个天高， 就得有七千五百里。这样高的台， 台基就得
bànge tiān gāo,　jiù děi yǒu qīqiān wǔbǎi lǐ.　Zhèiyàng gāode tái,　táijī jiù děi

占八千里的土地， 否则 台就立不住。现在 魏国的 全部
zhàn bāqiān lide tǔdì,　fǒuzé tái jiù lìbuzhù.　Xiànzài Wèiguóde quánbù

国土， 还不够修个台基， 所以先要出兵去打邻国， 占有
guótǔ,　hái bú gòu xiūge táijī,　suǒyǐ xiān yào chūbīng qù dǎ línguó,　zhànyǒu

他们的土地。可能还不够用， 只好派兵去打那些远在
tāmende 　tǔdì.　Kěnéng hái bú gòu yòng,　zhǐhǎo pài bīng qù dǎ nèixiē yuǎnzài

天涯海角的国家。有了台基,还得有土地给造台的人住,
tiānyá hǎijiǎo de guójiā.　Yǒule táijī,　hái děi yǒu tǔdì gěi zào tái de rén zhù.

再说， 堆粮食堆木料也要土地， 说 远一点， 还要有块
zài shuō,　duī liángshi duī mùliào yě yào tǔdì,　shuō yuǎn yīdiǎn,　hái yào yǒu kuài

更大的土地种 粮食给造台的人吃。有那么多的事要人
gèng dàde　tǔdì zhòng liángshi gěi zào tái de rén chī.　Yǒu nàme duōde shì yào rén

去干， 我怎么会没有地方去出力呢? 所以我就扛着铁锹
qù gàn,　wǒ zěnme huì méi yǒu dìfang qù chū lì ne?　Suǒyǐ wǒ jiù kángzhe tiěqiāo

来听您 差遣了"。
lái tīng nín chāiqiǎn le."

　　魏王 听完 这番话， 长 叹 一声 说：
　　Wèiwáng tīngwán zhèifān huà,　cháng tàn yīshēng shuō:

"算了， 中天台不造了， 我收回 成命。"
"Suànle,　Zhōngtiān tái bú zào le,　wǒ shōuhuí chéngmìng."

| 好（大） | hǎo (dà) | what a (big) . . . ! |
| 台【臺】基 | táijī | foundations of a tower |
| 魏王 | Wèiwáng | Duke of Wei |
| 心血来潮 | xīn xiě lái cháo | be seized by a whim |
| 决定 | jué dìng | decide; determine |

| | | |
|---|---|---|
| 造 | zào | construct; build |
| 座 | zuò | *m.w. for tower* |
| 中天台 | Zhōngtiān tái | Mid-sky Tower |
| 许多 | xǔduō | many |
| 劝【勸】谏 | quànjiàn | expostulate |
| 打消 | dǎxiāo | abandon; give up |
| 主意 | zhǔyi | plan; idea |
| 根本 | gēnběn | at all; simply |
| 为了 | wèile | so that; so as to |
| 免得 | miǎnde | so as to avoid |
| 反对【對】 | fǎnduì | oppose; against |
| 下令 | xiàlìng | issue order |
| 劝阻 | quànzǔ | dissuade sb. from |
| …者 | …zhě | those who |
| 无赦 | wú shè | without pardon |
| 许绾 | Xǔ Wǎn | *name of a person* |
| 消息 | xiāoxi | news; information |
| 扛 | káng | carry on one's shoulder |
| 把 | bǎ | *m.w. for spade* |
| 铁【鐵】锹 | tiěqiāo | spade; shovel |
| 愿意 | yuànyi | be willing to |
| 尽【盡】力 | jìnlì | do all one can; exert one's effort |
| 出力 | chūlì | put forth one's strength |
| 力气 | lìqi | physical strength |
| 天 | tiān | sky |
| 地 | dì | earth |
| 相隔 | xiānggé | be at a distance of; be apart |
| 半 | bàn | half |
| 占【佔】 | zhàn | cover; occupy; make up |
| 土地 | tǔdì | land |
| 否则 | fǒuzé | otherwise |
| 立不住 | lìbuzhù | cannot stand; cannot be erected |

137

| 全部 | quánbù | total; whole |
| 国土 | guótǔ | territory |
| 够 | gòu | enough; sufficient |
| 修 | xiū | build; construct |
| 先 | xiān | first; first of all |
| 出兵 | chūbīng | send troops |
| 打 | dǎ | attack |
| 邻【鄰】国 | línguó | neighboring country |
| 占有 | zhànyǒu | occupy; possess |
| 可能 | kěnéng | maybe |
| 只好 | zhǐhǎo | have to; be forced to |
| 天涯海角 | tiānyá hǎijiǎo | the ends of the earth |
| 住 | zhù | live; reside |
| 再说 | zài shuō | what's more; besides |
| 堆 | duī | pile up; stack |
| 粮【糧】食 | liángshi | grain |
| 木料 | mùliào | timber; wood |
| 块 | kuài | *m.w. for land* |
| 种【種】 | zhòng | grow; cultivate |
| 差遣 | chāiqiǎn | assign; dispatch |
| 长叹【嘆】一声 | cháng tàn yīshēng | heave a deep sigh |
| 算了 | suànle | let it be; Forget it! |
| 收回成命 | shōuhuí chéngmìng | rescind an order |

# 36

## 不爱丑恶
### Bú ài chǒu'è

赵 简子有 两 个 助手，一个 叫 尹 绰，一个 叫 赦 厥。
Zhào Jiǎnzǐ yǒu liǎng ge zhùshǒu, yīge jiào Yǐn Chuò, yīge jiào Shè Jué.

赵 简子对人说：
Zhào Jiǎnzǐ duì rén shuō:

"赦 厥 是 很 爱 我 的，他 从来 不 肯 在 众人 面前 说 我 的
"Shè Jué shì hěn ài wǒ de, tā cónglái bù kěn zài zhòngrén miànqián shuōwǒde

过错。那个 尹 绰 可不是 这样，他 总 喜欢 当着 别人 的 面
guòcuò. Nèige Yǐn Chuò kě bú shì zhèiyàng, tā zǒng xǐhuan dāngzhe biérende miàn

批评 我 的 缺点，我 真 受不了。"
pīpíng wǒde quēdiǎn, wǒ zhēn shòubuliǎo."

尹 绰 听到了 这 话，就 去 找 赵 简子，说：
Yǐn Chuò tīngdàole zhè huà, jiù qù zhǎo Zhào Jiǎnzǐ, shuō:

"你 这样 讲，可就 错了。赦 厥 从 不 留心 你 的 过错，
"Nǐ zhèiyàng jiǎng, kě jiù cuòle. Shè Jué cóng bù liúxīn nǐde guòcuò,

让 你 改正，他 连 你 的 丑恶 也 爱上了。我 常常 注意 你 的
ràng nǐ gǎizhèng, tā lián nǐde chǒu'è yě àishangle. Wǒ chángcháng zhùyì nǐde

过错，请 你 改正，因为 我 不 爱 你 的 丑恶。请 问，丑恶 的
guòcuò, qǐng nǐ gǎizhèng, yīnwèi wǒ bú ài nǐde chǒu'è. Qǐng wèn, chǒu'ède

东西 有 什么 可爱 呢？"
dōngxi yǒu shénme kě'ài ne?"

---

据《说苑》改写。参看第39页第十篇故事的注解。

| 爱 | ài | love; like |
|---|---|---|
| 丑恶 | chǒu'è | ugly; ugliness |
| 赵【趙】简子 | Zhào Jiǎnzǐ | *name of a person* |
| 助手 | zhùshǒu | aide |
| 尹绰 | Yǐn Chuò | *name of a person* |
| 赦厥 | Shè Jué | *name of a person* |
| 从来不 | cónglái bù | never |
| 众人 | zhòngrén | crowd |
| 面前 | miànqián | before; in front of; in the presence of |
| 过错 | guòcuò | fault; mistake |
| 可 | kě | but |
| 总【總】 | zǒng | always |
| 当着…面 | dāngzhe...miàn | in sb.'s presence |
| 批评 | pīpíng | criticize |
| 缺点 | quēdiǎn | fault; shortcoming |
| 受不了 | shòubuliǎo | unable to bear |
| 可 | kě | no doubt; surely |
| 错 | cuò | wrong; mistake |
| 从不 | cóng bù | never |
| 留心 | liúxīn | pay attention to; notice |
| 改过 | gǎiguò | mend one's ways; correct one's mistakes |
| 连…也… | lián...yě... | even; including |
| 注意 | zhùyì | pay attention to; take notice of |
| 请问 | qǐng wèn | we should like to ask |
| 东西 | dōngxi | thing |
| 可爱 | kě'ài | lovely; lovable |

# 37

## 医生、病人和药房
### Yīshēng、bìngrén hé yàofáng

柳 宗元 生 病，请来一位名医给他诊治。医生说：
Liǔ Zōngyuán shēngbìng， qǐnglái yīwèi míngyī gěi tā zhěnzhì。 Yīshēng shuō：

"你的脾脏肿大，吃些上等的茯苓就会好的！"
"Nǐde pízàng zhǒngdà， chī xiē shàngděngde fúlíng jiù huì hǎo de！"

柳 宗元 派人去药店买了药来，熬了吃下去。哪知病
Liǔ Zōngyuán pài rén qù yàodiàn mǎile yào lái， áole chīxiàqu。 Nǎzhī bìng

不但没有减轻，反而更 重了。柳 宗元 以为是医生误
búdàn méi yǒu jiǎnqīng， fǎn'ér gèng zhòng le。 Liǔ Zōngyuán yǐwéi shì yīshēng wù

用了药，就把医生叫来，责问他是怎么回事。医生把
yòngle yào， jiù bǎ yīshēng jiàolai， zéwèn tā shì zěnme huí shì。 Yīshēng bǎ

药罐里的药渣倒出来一看，原来不是茯苓，而是加过工、
yàoguànlide yàozhā dàochūlai yī kàn， yuánlái bú shì fúlíng， ér shì jiāguo gōng，

据《柳河东集》改写。《柳河东集》是唐朝著名文学家柳宗元（公元773
—819年）的散文集。柳宗元是河东人，故又名柳河东。

染过色的老山芋干儿。
rănguo sè de lăo shānyùgānr.

医生叹了口气说：
Yīshēng tànle kǒu qì shuō:

"卖 药 的 是 个 骗子， 吃药的 又 不 识 货， 光 靠医生是
"Mài yào de shì ge piànzi, chī yào de yòu bù shíhuò, guāng kào yīshēng shì

治不好病的！"
zhìbuhǎo bìng de!"

| | | |
|---|---|---|
| 病人 | bìngrén | patient |
| 药【藥】房 | yàofáng | pharmacy; drugstore |
| 柳宗元 | Liǔ Zōngyuán | *a famous man of letters* |
| 生病 | shēngbìng | fall ill |
| 请 | qǐng | invite |
| 名医【醫】 | míngyī | a famous doctor |
| 诊治 | zhěnzhì | make a diagnosis and give treatment |
| 脾脏【臟】 | pízàng | spleen |
| 肿【腫】 | zhǒng | swelling; swollen |
| 上等 | shàngděng | first-class |
| 茯苓 | fúlíng | a Chinese medicinal herb (*Poris cocos*) |
| 好 | hǎo | get well |
| 药店 | yàodiàn | drugstore |
| 药 | yào | medicine |
| 熬 | áo | decoct (medicinal herbs) |
| 哪知 | nǎzhī | who could expect that |
| 不但 | búdàn | not only |
| 减轻 | jiǎnqīng | lighten; ease |
| 反而 | fǎn'ér | on the contrary |
| 重 | zhòng | serious |

142

| | | |
|---|---|---|
| 误用 | wù yòng | make a mistake in using |
| 叫 | jiào | call |
| 责问 | zéwèn | bring sb. to account |
| 怎么回事 | zěngme huí shì | what was the matter |
| 药罐 | yàoguàn | a pot for decocting herbal medicine |
| 药渣 | yàozhā | dregs of a decoction |
| 倒 | dào | pour |
| 不是…而是… | bú shì… ér shì | not … but … |
| 加工 | jiā gōng | process |
| 染色 | rǎn sè | dyeing; coloring |
| 老 | lǎo | overgrown; tough |
| 山芋干儿 | shānyùgānr | dried sweet potato |
| 叹气 | tàn qì | sigh; heave a sigh |
| 口 | kǒu | mouthful; mouth |
| 骗子 | piànzi | swindler; cheat |
| 识【識】货 | shíhuò | know what's what; be able to tell good from bad |
| 光 | guāng | alone; only |
| 靠 | kào | rely on |
| 治不好 | zhìbuhǎo | cannot cure |

# 38

## 哪个是原本？
### Něige shì yuánběn?

石才叔家里收藏着一本唐朝名书法家的字帖，是
Shí Cáishū jiāli shōucángzhe yīběn Tángcháo míng shūfǎjiāde zìtiè, shì

一个很贵重的珍本。石才叔虽然很穷，却舍不得把它
yīge hěn guìzhòngde zhēnběn. Shí Cáishū suīrán hěn qióng, què shěbude bǎ tā

卖掉。
màidiao.

文彦博在长安当大官时，把这本字帖借了去，叫
Wén Yànbó zài Cháng'ān dāng dà guān shí, bǎ zhèiběn zìtiè jièle qù, jiào

自己的子弟临摹了一本。一天，文彦博设宴大请宾客，
zìjǐde zǐdì línmóle yīběn. Yī tiān, Wén Yànbó shè yàn dà qǐng bīnkè,

席间，他让人把石才叔的真本和他的临本一起摆在桌上，
xíjiān, tā ràng rén bǎ Shí Cáishūde zhēnběn hé tāde línběn yīqǐ bǎizài zhuōshang,

据《玉照新志》改写。《玉照新志》是宋朝（公元960—1279年）王明清著。

144

请客人分辨 真假。大家都 说 石才叔的 那一本是假的，文
qǐng kèren fēnbiàn zhēn jiǎ.　Dàjiā dōu shuō Shí Cáishūde nèi yīběn shì jiǎde,　Wén

彦博的那个临本才是原本。
Yànbóde nèige　línběn cái shì yuánběn.

石才叔苦笑一声，对文 彦博 说：
Shí Cáishū kǔxiào yīshēng,　duì Wén　Yànbó shuō:

"就因为我 穷，真货也 变成假货了！"
"Jiù yīnwèi wǒ qióng,　zhēn huò yě biànchéng jiǎ huò le!"

| | | |
|---|---|---|
| 原本 | yuánběn | original manuscript |
| 石才叔 | Shí Cáishū | *name of a person* |
| 收藏 | shōucáng | collect; store up |
| 唐朝 | Tángcháo | Tang dynasty |
| 名 | míng | famous |
| 书【書】法家 | shūfǎjiā | calligrapher |
| 字帖 [本běn] | zìtiè [本běn] | copybook (for calligraphy) |
| 贵重 | guìzhòng | valuable |
| 珍本 | zhēnběn | rare book; rare edition |
| 穷【窮】 | qióng | poor |
| 舍【捨】不得 | shěbude | hate to (part with); be reluctant to; grudge |
| 文彦博 | Wén Yànbó | *name of a famous official and man of letters* |
| 长安 | Cháng'ān | ancient capital, now Xi'an |
| 官 | guān | official |
| 子弟 | zǐdì | juniors |
| 临【臨】摹 | línmó | copy |
| 设宴 | shè yàn | give a banquet; fete |
| 宾【賓】客 | bīnkè | guests |
| 席间 | xíjiān | during the feast |
| 真本 | zhēnběn | the genuine one |

| 临本 | línběn | copy |
|---|---|---|
| 摆【擺】 | bǎi | put; set; lay |
| 客人 | kèren | guest |
| 分辨 | fēnbiàn | distinguish |
| 真 | zhēn | true; genuine; real |
| 假 | jiǎ | false; fake; sham |
| 苦笑 | kǔxiào | wry smile |
| 货 | huò | goods; commodity |
| 变成 | biànchéng | change into; turn into |

# 39

## 讨厌的老鼠
### Tǎoyànde lǎoshǔ

管　仲 对 齐王 说：
Guǎn Zhòng duì Qíwáng shuō:

老百姓 最讨厌的是老鼠，　因为老百姓辛辛苦苦种出
Lǎobǎixìng zuì tǎoyàn de shì lǎoshǔ,　yīnwèi lǎobǎixìng xīnxīn kǔkǔ zhòngchū

来的粮食，　都 让 这些 讨厌的 东西 给 糟踏了。 不过，　最
laide liángshi　dōu ràng zhèixiē tǎoyànde dōngxi gěi zāotale. Búguò,　zuì

可怕的 是 那些 神坛里的 老鼠。 神坛是祭神的地方，　里面
kěpàde shì nèixiē shéntánlide lǎoshǔ. Shéntán shì jì shén de dìfang,　lǐmian

用 木栏杆围着，　外面 还有很厚的墙保护着。人们 明知
yòng mù lángān wéizhe,　wàimian hái yǒu hěn hòude qiáng bǎohùzhe. Rénmen míng zhī

据《晏子春秋》改写。参看第51页第十四篇故事的注解。

147

老鼠在神坛里胡作非为，　　也不敢把它们怎么样。你用
lǎoshǔ zài shéntán lǐ　hú zuò fēi wéi,　　yě bù gǎn bǎ tāmen zěnmeyàng.　Nǐ yòng

火去熏吗？可别烧了木栏杆。你用 水去灌 吗？把 神坛的
huǒ qù xūn ma? Kě bié shāole mù lángān. Nǐ yòng shuǐ qù guàn ma?　Bǎ shéntánde

墙 泡坏了还了得！人们既然不敢去 碰 神坛的 栏杆和 墙
qiáng pàohuàile hái liǎodé! Rénmen jìrán bù gǎn qù pèng shéntánde lángān hé qiáng

壁，老鼠就可以放心在里面做窝了。所以，神坛 里面的
bì,　lǎoshǔ jiù kěyi fàngxīn zài lǐmian zuò wō le.　Suǒyǐ, shéntán lǐmiande

老鼠是最可怕的啊！
lǎoshǔ shì zuì kěpàde a!

| 讨厌【厭】 | tǎoyàn | disgusting; be disgusted with; loathe |
| 老鼠 | lǎoshǔ | mouse |
| 管仲 | Guǎn Zhòng | *name of a person* |
| 辛苦 | xīnkǔ | go through hardships; toilsome |
| 种【種】 | zhòng | grow; cultivate |
| 粮【糧】食 | liángshi | grain |
| 让【讓】…给… | ràng…gěi… | by (*passive*) |
| 糟踏 | zāota | spoil; waste |
| 不过 | búguò | but; however |
| 可怕 | kěpà | terrible |
| 神坛【壇】 | shéntán | altar |
| 祭 | jì | offer (a sacrifice to); worship; hold a memorial ceremony for |
| 神 | shéng | god; deity |
| 里面 | lǐmian | inside |
| 木 | mù | wooden |
| 栏【欄】杆 | lángān | railing; banisters |
| 外面 | wàimian | outside |
| 厚 | hòu | thick |
| 墙【牆】 | qiáng | wall |

148

| 明知 | míng zhī | know clearly |
| 胡作非为 | hú zuò fēi wéi | commit all kinds of outrages |
| 把…怎么样 | bǎ…zěnmeyàng | (*negative*) could not be too hard (on sb.) or too strict in handling sth. |
| 火 | huǒ | fire |
| 熏 | xūn | smoke (out); fumigate (sth.) |
| 别 | bié | don't |
| 烧【燒】 | shāo | burn |
| 水 | shuǐ | water |
| 灌 | guàn | pour; fill sth. (with water, etc.) |
| 泡 | pào | soak; steep |
| 还了得 | hái liǎodé | how terrible; how outrageous |
| 墙壁 | qiángbì | wall |
| 放心 | fàngxīn | to be at ease |
| 窝 | wō | nest; roost; lair; den |

# 40

## 说 话 的 诀 窍
### Shuō huà de juéqiào

墨子和他的学生 在池塘边 散步。学生 问：
Mòzǐ hé tāde xuésheng zài chítángbiān sànbù. Xuésheng wèn:

"老师， 多 说 话到底有 没 有 好处？"
"Lǎoshī, duō shuō huà dàodǐ yǒu méi yǒu hǎochu?"

墨子 说：
Mòzǐ shuō:

"那要看说 什么了。比如池塘里的蛤蟆，一天到
"Nà yào kàn shuō shénme le. Bǐrú chítánglide háma, yī tiān dào

晚地叫，弄得口干舌燥，谁去
wǎnde jiào, nòngde kǒu gān shé zào, shéi qù

注意它呢？只觉得它讨厌。但是，
zhùyì tā ne? Zhǐ juéde tā tǎoyàn. Dànshì,

鸡窝里的雄鸡，只有天 亮时啼
jīwōlide xióngjī zhǐyǒu tiān liàng shí tí

那么两三次， 大家知道鸡啼就
nàme liǎng sān cì, dàjiā zhīdao jī tí jiù

要天亮，都很注意。所以，说
yào tiān liàng, dōu hěn zhùyì. Suǒyǐ, shuō

据《墨子》改写。《墨子》的作者是墨子（墨翟）（约公元前468—前376年），春秋战国时期的思想家、政治家、墨家学说的创始人，是儒家的反对派。

150

话 不 在 多 少， 要 看 有 用 没 用。"
huà bú zài duō shǎo,  yào kàn yǒu yòng méi yòng."

| 诀窍【竅】 | juéqiào | secret of success; tricks of the trade |
| 墨子 | Mòzǐ | *name of a famous philosopher* |
| 池塘 | chítáng | pool |
| 散步 | sànbù | take a walk; stroll |
| 老师【師】 | lǎoshī | teacher; master |
| 到底 | dàodǐ | in the final analysis; after all; in the end |
| 好处【處】 | hǎochu | benefit; good |
| 比如 | bǐrú | for example |
| 蛤蟆 | háma | frog |
| 一天到晚 | yī tiān dào wǎn | all day long |
| 弄 | nòng | do; make; get |
| 口干【乾】舌燥 | kǒu gān shé zào | (croak) till tongue and lips are parched |
| 鸡【雞】窝 | jīwō | hencoop; roost |
| 雄鸡 | xióngjī | cock |
| 天亮 | tiān liàng | daybreak |
| 啼 | tí | crow |
| 在 | zài | rest with; depend on |
| 有用 | yǒu yòng | useful; of value |

# GRAMMATICAL NOTES V

## On Subjects

There are no serious disputes on subjects in the following three types of sentences:

Noun-Predicate Sentences:

今天星期六。　　Jīntiān xīngqī liù.

老方东北人。　　Lǎo Fāng dōngběi rén.

Adjective-Predicate Sentences:

衣服很新。　　Yīfu hěn xīn.

海猪讨厌极了。　　Hǎizhū tǎoyàn jíle.

SP-Predicate Sentences:

这个猎人胆子真大。　　Zhèige lièrén dǎnzi zhēn dà.

他这个人就是嗓门儿大。　　Tā zhèige rén jiùshi sǎngménr dà.

The question on Chinese subjects widely known among Sinologists exists mainly in the verb-predicate sentences, because it relates to a series of conceptions on which different Sinologists maintain quite different views. Following is a brief conclusion of the author on this question. (For further study see the author's work ON CHINESE SUBJECTS, journal YUYAN JIAOXUE YU YANJIU — *Language Teaching and Research*, No. 11, Nov., 1977.)

As in sentences of noun-predicate, adjective-predicate and SP-predicate, subject in a sentence of verb-predicate should also be defined as one of the major components of the sentence, which is usually expressed by a substantive (e.g., a noun or a pronoun, etc.) or a combination with the function of a substantive. Subject is placed before the verb-predicate; and the action, quality or attribution expressed by the predicate belong to this subject.

152

According to this definition, we may classify the following sentences with no great difficulty.

| | |
|---|---|
| 苏东坡爱吃肉。 | Sū Dōngpō ài chī ròu. |
| 杨布把狗给打了。 | Yáng Bū bǎ gǒu gěi dǎle. |
| 我明天再来。 | Wǒ míngtiān zài lái. |
| 老鼠被消灭了。 | Lǎoshǔ bèi xiāomièle. |
| 庙修好了。 | Miào xiūhǎole. |
| 水溅了一地。 | Shuǐ jiànle yī dì. |
| 帽子挂在墙上呢。 | Màozi guàzai qiángshang ne. |
| 热水瓶炸了。 | Rèshuǐpíng zhàle. |
| 咱们雪下吟诗。 | Zánmen xuěxià yín shī. |
| 局里很重视这个报告。 | Júli hěn zhòngshi zhèige bàogào. |
| 爷爷坐着太师椅。 | Yéye zuòzhe tàishīyǐ. |
| 他坐椅子，你坐板凳。 | Tā zuò yǐzi, nǐ zuò bǎndèng. |
| 老大跳伞，老二跳高，妹妹跳绳；他浇花，我去浇菜园子。 | Lǎodà tiào sǎn, Lǎo'èr tiào gāo, mèimei tiào shéng; tā jiāo huā, wǒ qù jiāo cài yuánzi. |

According to this definition, the following underlined words are *not* subjects, but adverbial adjuncts (of time, place or manner of action):

| | |
|---|---|
| 门上来了一个和尚。 | Ménshang làile yīge héshang. |
| 屋里坐着客人呢！ | Wūli zuòzhe kèren ne! |
| 假山 后面走出一个人来。 | Jiǎshān hòumian zǒuchu yīge rén lai. |
| 明天你再来。 | Míngtiān nǐ zài lái. |
| 迎面过来一个小伙子。 | Yíngmiàn guòlai yīge xiǎohuǒzi. |
| 呼地 一下鸟都飞了。 | Hūde yīxià niǎo dōu fēile. |

According to this definition, the following underlined words are *not* subjects, but prompting elements, or topic elements (see CHINESE FOR YOU, Lesson 20, *Notes*):

| | |
|---|---|
| 这种事情，我自己能作主。 | Zhèzhǒng shìqing, wǒ zìjǐ néng zuò zhǔ. |
| 许多事情我们都可以原谅他们。 | Xǔduō shìqing wǒmen dōu kěyǐ yuánliàng tāmen. |

153

| 这件事，应该这么着才好。 | Zhèijiàn shì, yīng gāi zènmezhe cái hǎo. |
| 有的书我还没有看完呢。 | Yǒude shū wǒ hái méi yǒu kànwán ne. |
| 一切他都会帮助你。 | Yīqiè tā dōu huì bāngzhù nǐ. |
| 这一餐饭，他一直沉默着。 | Zhèiyīcān fàn, tā yīzhí chénmòzhe. |
| 这个工作，你必须亲自动手。 | Zhèige gōngzuò, nǐ bìxū qīnzì dòng shǒu. |
| 这样的场面，老杨是见过不少的。 | Zhèiyàngde chǎngmiàn, Lǎo Yáng shì jiànguo bù shǎo de. |

According to this definition, the following underlined words are subjects:

| 演员谢幕谢了四次。 | Yǎnyuán xiè mù xièle sì cì. |
| 我住不起旅馆。 | Wǒ zhùbuqǐ lǚguǎn. |
| 他正在捆行李。 | Tā zhèng zài kǔn xíngli. |
| 你没捆绳子，怪不得包散了。 | Nǐ méi kǔn shéngzi, guàibude bāo sànle. |
| 没关系，我睡地板。 | Méi guānxi, wǒ shuì dìbǎn. |
| 杨布淋了雨了。 | Yáng Bù línle yǔle. |
| 你去晒晒太阳，有好处。 | Nǐ qù shàishai tàiyang, yǒu hǎochu. |
| 我不洗热水。 | Wǒ bù xǐ rèshuǐ. |
| 你擦点儿肥皂。 | Nǐ cā diǎnr féizào. |

According to this definition, the following underlined words are subjects:

| 爷爷坐着太师椅。 | Yéye zuòzhe tàishīyǐ. |
| 你抱着孩子，还提着水桶，怎么上楼啊! | Nǐ bàozhe háizi, hái tízhe shuǐtǒng, zěnme shàng lóu a! |
| 老人戴着一顶毡帽，穿着一件棉袄，围着一条围脖，拄着一根拐杖。 | Lǎorén dàizhe yīdǐng zhānmào, chuānzhe yījiàn mián'ǎo, wéizhe yītiáo wéibó, zhǔzhe yīgēn guǎizhàng. |

The following underlined words are objective complements (see Grammatical Notes IV). According to the definition given above, they are *not* subjects:

154

地上坐着几个小孩儿。 Dìshang zuòzhe jǐge xiǎoháir.

太师椅上坐着一位老人。 Tàishīyǐshang zuòzhe yīwèi lǎorén.

门上来了一个和尚。 Ménshang láile yīge héshang.

迎面过来一个小伙子。 Yíngmiàn guòlai yīge xiǎohuǒzi.

春天快完了，村上倒反来了狼。 Chūntiān kuài wánle, cūnshang dào fǎn láile láng.

屋子里挤满了人。 Wūzili jǐmǎnle rén.

时间到了，走人啊! Shíjiān dàole, zǒu rén a!

# 41

# 谁 偷 了 斧 子？
### Shéi tōule fǔzi?

有个人丢了一把斧子。他怀疑是隔壁的王小二偷的。
Yǒu ge rén diūle yìbǎ fǔzi. Tā huáiyí shì gébìde Wáng Xiǎo'èr tōu de.

于是，他就开始注意王小二的 行动了。他觉得王小二
Yúshì, tā jiù kāishǐ zhùyì Wáng Xiǎo'èrde xíngdòng le. Tā juéde Wáng Xiǎo'èr

走路的样子，说 话的声音，都跟 平常 人不同。总之，
zǒulù de yàngzi, shuō huà de shēngyīn, dōu gēn píngcháng rén bùtóng. Zǒngzhī,

王 小二的一举一动，都 象个小偷 模样。
Wáng Xiǎo'èrde yì jǔ yī dòng, dōu xiàng ge xiǎotōu múyàng.

过了几天，丢失的斧子找着了，原来是他上 山 砍
Guòle jǐ tiān, diūshī de fǔzi zhǎozháole, yuánlái shi tā shàng shān kǎn

柴的时候，掉在树丛里了。
chái de shíhou, diàozài shùcónglí le.

第二天，他又 碰见隔壁
Dì'èr tiān, tā yòu pèngjiàn gébì

的王 小二。他注意观察 王
de Wáng Xiǎo'èr. Tā zhùyì guānchá Wáng

小二的 行动，觉得他走路
Xiǎo'èrde xíngdòng, juéde tā zǒulù

的样子，说 话的声音，根本
de yàngzi, shuō huà de shēngyīn, gēnběn

---

据《列子》改写。参看第1页第一篇故事的注解。

就不象一个会偷人东西的人。
jiù bú xiàng yīge huì tōu rén dōngxi de rén.

| | | |
|---|---|---|
| 偷 | tōu | steal |
| 斧子 | fǔzi [把bǎ] | axe |
| 丢 | diū | lose |
| 怀【懷】疑 | huáiyí | suspect |
| 隔壁 | gébì | next door |
| 王小二 | Wáng Xiǎo'èr | *name of a person* |
| 开始 | kāishǐ | begin |
| 行动 | xíndòng | action |
| 走路 | zǒulù | walk |
| 样子 | yàngzi | manner |
| 声音 | shēngyīn | voice; sound |
| 平常 | píngcháng | ordinary |
| 不同 | bùtóng | not the same; different |
| 总【總】之 | zǒngzhī | in one word |
| 一举【舉】一动【動】 | yī jǔ yī dòng | every action; every movement |
| 模样 | múyàng | appearance; look |
| 丢失 | diūshī | lose |
| 找着 | zhǎozháo | find; to be found |
| 上山 | shàng shān | go uphill; go up a hill |
| 砍 | kǎn | cut; chop |
| 柴 | chái | firewood |
| 掉 | diào | fall |
| 树丛【叢】 | shùcóng | grove; a clump of trees |
| 观【觀】察 | guānchá | observe; watch |
| 根本 | gēnběn | at all; simply; absolutely |

# 42

## 鲁 王 的 好 意
### Lǔwángde hǎoyì

鲁国的 城外发现了一只海鸟。谁 都 没 有 见过 这种
Lǔguóde chéngwài fāxiànle yīzhī hǎiniǎo. Shéi dōu méi yǒu jiànguo zhèizhǒng

鸟，以为是什么宝贝，一传十，十传百，让国王知道了。
niǎo, yǐwéi shì shénme bǎobèi, yī chuán shí, shí chuán bǎi, ràng guówáng zhīdaole.

鲁王 叫人把鸟弄来，供养在 王宫 后院。
Lǔwáng jiào rén bǎ niǎo nònglai, gàngyǎngzài wánggōng hòuyuàn.

鲁王 叫人每天给鸟洗澡，请它吃肉喝酒，还让一个
Lǔwáng jiào rén měitiān gěi niǎo xǐzǎo, qǐng tā chī ròu hē jiǔ, hái ràng yīge

乐队从早到晚为鸟演奏，因为 用 鲁王的话来说，就是
yuèduì cóng zǎo dǎo wǎn wèi niǎo yǎnzòu, yīnwèi yòng Lǔwángde huà lái shuō, jiùshi

要 像 招待 国宾一样地招待 这只珍贵的海鸟。
yào xiàng zhāodài guóbīn yīyàngde zhāodài zhèizhī zhēnguìde hǎiniǎo.

鲁王的这一番好意，却把海鸟吓坏了。它整天 惊 惶
Lǔwángde zhèi yīfān hǎoyì, què bǎ hǎiniǎo xiàhuàile. Tā zhěngtiān jīnghuáng

据《庄子》改写。参看第56页第十六篇故事的注解。

158

不安，不吃不喝。三天以后，海鸟就死了。
bùān,　　bù chī bù hē.　Sān tiān yǐhòu,　hǎiniǎo jiù　sǐle.

| | | |
|---|---|---|
| 好意 | hǎoyì | kindness; good intention |
| 发【發】现 | fāxiàn | discover; find |
| 海鸟 | hǎiniǎo | sea-bird |
| 谁都没有 | shéi dōu méi yǒu | no one has ever |
| 宝【寶】贝 | bǎobèi | treasure; treasured object |
| 传【傳】 | chuān | pass on |
| 让 | ràng | by (*passive*) |
| 弄来 | nònglai | get; take; bring |
| 供养 | gòngyǎng | consecrate; make offerings to |
| 后【後】院 | hòuyuàn | backyard |
| 每天 | měitiān | everyday |
| 洗澡 | xǐzǎo | take a bath; bath |
| 肉 | ròu | meat; flesh |
| 演奏 | yǎnzòu | perform; play (music) |
| 用…的话来说 | yòng...de huà lái shuō | in sb.'s words |
| 招待 | zhāodài | entertain; receive (guests) |
| 国宾 | guóbīn | state guest |
| 珍贵 | zhēnguì | rare; valuable |
| 番 | fān | *m.w.* |
| 吓坏 | xiàhuài | be terribly frightened |
| 惊惶不安 | jīnghuáng bùān | jittery; nervy; panic-stricken |

# 43

## 宝 贝
### Bǎobèi

宋国 有 个 专 爱 奉承 别人 的 人。有 一天，他 得到
Sòngguó yǒu ge zhuān ài fèngcheng biéren de rén. Yǒu yī tiān, tā dédào

一块玉，就 拿去 献给 大臣 子罕，想 捞点 好处。
yīkuài yù, jiù náqù xiàngěi dàchén Zǐhǎn, xiǎng lāo diǎn hǎochu.

子罕 不受。那个人 说：
Zǐhǎn bú shòu. Nèige rén shuō:

"这块玉，谁 配带 呢？只有 您老 先生 才配啊。这么
"Zhèikuài yù, shéi pèi dài ne? Zhǐyǒu nín lǎo xiānsheng cái pèi a. Zènme

好的一块玉，挂在 您 身上，真 是 再合适 不过了。像 我
hǎo de yīkuài yù, guàzài nín shēnshang, zhēn shi zài héshì bú guò le. Xiàng wǒ

据《韩非子》改写。参看第72页第十九篇故事的注解。

这样的 凡夫俗子怎么 配得上它！ 您 收下吧， 这是我的
zhèiyàngde fán fū sú zǐ zěnme pèideshàng tā! Nín shōuxià ba, zhè shì wǒde

一片心意。"
yīpiàn xīnyì."

　　子罕说：
　　Zǐhǎn shuō:

"你把这块玉当 宝贝， 我把不接受别人的 奉承 当
"Nǐ bǎ zhèikuài yù dàng bǎobèi, wǒ bǎ bù jiēshòu biérende fèngcheng dàng

宝贝。咱们俩都把宝贝留给自己吧！"
bǎobèi. Zánmen liǎ dōu bǎ bǎobèi liúgěi zìjǐ ba!"


| 专 | zhuān | special; specialized; concentrate |
| 得到 | dédào | get |
| 玉 | yù [块 kuài] | jade |
| 献【獻】 | xiàn | present; donate; offer |
| 子罕 | Zǐhǎn | *name of a person* |
| 捞【撈】 | lāo | fish for; gain |
| 好处 | hǎochu | good; benefit |
| 受 | shòu | receive; take |
| 配 | pèi | match; be worthy of |
| 只有…才… | zhǐyǒu…cái… | only; alone |
| 挂【掛】 | guà | hang; put up |
| 再…不过（了） | zài…bú guò (le) | nothing could be more . . . than this |
| 凡夫俗子 | fán fū sú zǐ | ordinary person; mortal |
| 配得上 | pèideshàng | match well; go well together; deserve |
| 收下 | shōuxià | accept |
| 片 | piàn | *m.w.* |
| 心意 | xīnyì | regard; kindly feelings |
| 把…当… | bǎ…dàng… | take for; treat as; regard as |
| 接受 | jiēshòu | accept |
| 咱们 | zánmen | we; both you and me |
| 俩 | liǎ | two |
| 留 | liú | reserve; keep; save |

# 44

## 勇　士
### Yǒngshì

齐国有两个"勇士"，一个住在 城东，一个住在
Qíguó yǒu liǎngge "yǒngshì", yīge zhùzài chéngdōng, yīge zhùzài

城西。有一天，他们在 街上 碰见了。两个人异口同
chéngxī. Yǒu yī tiān, tāmen zài jiēshang pèngjiànle. Liǎngge rén yì kǒu tóng

声地说：勇士见 面很难得，该 喝个痛快。两个人
shēngde shuō: Yǒngshì jiànmiàn hěn nándé, gāi hē ge tòngkuai. Liǎngge rén

一同来到酒店。
yìtóng láidào jiǔdiàn.

喝了几杯之后，城东 的"勇士"说：
Hēle jǐ bēi zhīhòu, chéngdōng de "yǒngshì" shuō:

"买点肉来下酒，好 吗？"
"Mǎi diǎn ròu lái xiàjiǔ, hǎo ma?"

城西的"勇士"说：
Chéngxīde "yǒngshì" shuō:

"你我 身上 有的是肉，还买 什么肉！既然是勇士，
"Nǐ wǒ shēnshang yǒude shì ròu, hái mǎi shénme ròu! Jìrán shì yǒngshì,

还 怕疼吗？！"说着，从 腰间 抽 出 刀来，割下 腿上的
hái pà téng ma?!" Shuōzhe, cóng yāojiān chōu chu dāo lai, gēxià tuíshangde

肉，蘸蘸 酱油，吃下去了。城东 的 那位 不甘示弱，也
ròu, zhànzhàn jiàngyóu, chīxiàqule. Chéngdōngde nèiwèi bù gān shì ruò, yě

---

据《吕氏春秋》改写。参看第109页第二十八篇故事的注解。

162

抽 出 刀 来 割 自己 腿上的 肉 吃。两个 人 为了 证明 自己
chōu chu dāo lai gē zìjǐ tuǐshangde ròu chī. Liǎngge rén wèile zhèngmíng zìjǐ

更 勇敢 些，你 割 一块 我 割 一块，一块 接 一块，不
gèng yǒnggǎn xiē, nǐ gē yīkuài wǒ gē yīkuài, yīkuài jiē yīkuài, bù

一会儿，两个 "勇士" 都 倒在 地上，断气 了。
yīhuìr, liǎngge "yǒngshì" dōu dǎozài dìshang, duànqì le.

| 勇士 | yǒngshì | a brave and strong man |
| 东 | dōng | east |
| 西 | xī | west |
| 街 | jiē | street |
| 异【異】口同声 | yì kǒu tóng shēng | with one voice; in unison |
| 见面 | jiànmiàn | to meet |
| 难得 | nándé | rare; rare occasion; seldom |
| 痛快 | tòngkuai | to one's heart's content |
| 酒店 | jiǔdiàn | wine-shop |
| 下酒 | xiàjiǔ | go with wine |
| 身上 | shēnshang | (on the) body |
| 有的是 | yǒude shì | have plenty of |
| 疼 | téng | pain; painful |
| 腰间 | yāojiān | waist |
| 抽 | chōu | draw |

| 刀 | dāo | sword |
| 割 | gē | cut |
| 腿 | tuǐ | leg |
| 蘸 | zhàn | dip in |
| 酱油 | jiàngyóu | soy; soy sauce |
| 不甘示弱 | bù gān shì ruò | not to be outdone |
| 证【證】明 | zhèngmíng | prove |
| 接 | jiē | follow; after |
| 不一会 | bù yīhuìr | after a few minutes |
| 倒 | dǎo | fall; topple |
| 地 | dì | ground |
| 断气【斷氣】 | duànqì | breathe one's last; die |

# 45

## 成 不 了 大 事
Chéngbuliǎo dà shì

秦武王得了重病，请名医扁鹊进宫替他看病。
Qín Wǔwáng déle zhòng bìng, qíng míng yī Biǎn Què jìn gōng tì tā kàn bìng.

扁鹊看了就准备给武王医治。
Biǎn Què kànle jiù zhǔnbèi gěi Wǔwáng yīzhì.

武王的部下对武王说："大王的病根在耳朵和眼睛
Wǔwángde bùxià duì Wǔwáng shuō: "Dàiwángde bìnggēn zài ěrduo hé yǎnjing

之间，医起来未必就能见效，弄不好还可能把耳朵
zhījiān, yīqilai wèibì jiù néng jiànxiào, nòngbuhǎo hái kěnéng bǎ ěrduo

搞聋，眼睛搞瞎。"
gǎolóng, yǎnjing gǎoxiā."

武王害怕起来，把部下的话告诉了扁鹊。扁鹊很
Wǔwáng hàipàqilai, bǎ bùxiàde huà gàosule Biǎn Què. Biǎn Què hěn

生气，把手中的医具扔在地上，说：
shēngqì, bǎ shǒuzhōngde yījù rēngzài dìshang, shuō:

"大王跟医生商量治病，怎么又去找不懂医术的
"Dàiwáng gēn yīshēng shāngliang zhìbìng, zěnme yòu qù zhǎo bù dǒng yīshù de

人合计？你这不是自寻死路？从这件事也可以看出
rén héjì? Nǐ zhè bú shì zì xún sǐ lù? Cóng zhèijiàn shì yě kěyǐ kànchū

秦国的政治了。大王办事如此摇摆不定，怪不得人家
Qínguóde zhèngzhì le. Dàiwáng bànshì rúcǐ yáobǎi búdìng, guàibude rénjia

---

据《战国策》改写。参看第36页第九篇故事的注解。

| | | |
|---|---|---|
| 成不了 | chéngbuliǎo | unable to accomplish |
| 大事 | dà shì | deed; important task |
| 秦武王 | Qín Wǔwáng | King Wuwang of Qin |
| 得病 | dé bìng | fall ill; contract a disease |
| 重 | zhòng | serious; heavy |
| 名医【醫】 | míng yī | famous doctor |
| 扁鹊 | Biǎn Què | *name of a famous doctor* |
| 看病 | kàn bìng | (of a doctor) see a patient; (of a patient) see a doctor |
| 部下 | bùxià | subordinate |
| 病根 | bìnggēn | cause of disease |
| 耳朵 | ěrduo | ear |
| 眼睛 | yǎnjing | eye |
| 之间 | zhījiān | between; among |
| 医起来 | yī qǐlai | while treating (the disease) |
| 未必 | wèibì | may not |
| 见效 | jiànxiào | produce the desired result |
| 搞 | gǎo | make; get; do |
| 聋【聾】 | lóng | deaf |
| 瞎 | xiā | blind |
| 害怕起来 | hàipàqǐlai | begin to fear |
| 生气 | shēngqì | to be angry |
| 医具 | yījù | medical instruments |
| 扔 | rēng | throw |
| 商量 | shāngliang | consult |
| 医术【術】 | yīshù | art of healing |
| 合计 | héjì | discuss; consult |
| 自寻死路 | zì qún sǐ lù | bring about one's own destruction |
| 政治 | zhèngzhì | politics |

| 办【辦】事 | bànshì | handle affairs |
| 如此 | rúcǐ | so; like this |
| 摇摆不定 | yáobǎi búdìng | sway; vacillate |
| 怪不得 | guàibude | no wonder; that explains why |

# 46

## 法　术
### Fǎshù

从前 有个姓金的道士， 听说西岳山有人懂得 长
Cóngqián yǒu ge xìng Jīn de dàoshi,　tīngshuō Xīyuè shān yǒu rén dǒngdé cháng

生 不死的 法术， 就动身去西岳山 找 那个人 请教。
shēng bù sǐ de fǎshù,　jiù dòngshēn qù Xīyuè shān zhǎo nèige rén qǐngjiào.

金道士走了一个半 月， 来到西岳山下， 一打听， 那个会
Jīndàoshi zǒule yīge bàn yuè,　láidào Xīyuè shānxià,　yī dǎting,　nèige huì

法术的人 两天 以前 刚刚 去世。金道士 埋怨 自已运气
fǎshù de rén liǎngtiān yǐqián gānggāng qùshì.　Jīndàoshi mányuàn zìjǐ yùnqi

不佳， 又 后悔 自己走得 太 慢， 一 屁股 坐在 地下，
bù jiā,　yòu hòuhuǐ zìjǐ zǒude tài màn,　yī pìgu zuòzài dìxia,

呜呜咽咽地哭了起来。
wūwūyēyēde　kūle qǐlai.

据《孔丛子》改写。旧传是秦末儒生孔鲋（约公元前264—前208年）
所编，后又传说是三国时期王肃（公元195—256年）伪造。

168

一个过路的老人，问明白了金道士哭泣的原因，对
Yīge guòlù de lǎorén, wènmíngbaile Jīndàoshi kūqì de yuányīn, duì

他说：
tā shuō:

"哎呀！你哭什么呀！你千里迢迢跑到这里来，为的
"Aiyā! Nǐ kū shénme ya! Nǐ qiān lí tiáotiáo pǎodào zhèlí lái, wèide

是学那长生不死的法术。这个人假如真会这种法术，
shì xué nà cháng shēng bù sǐ de fǎshù. Zhèige rén jiǎrú zhēn huì zhèizhǒng fǎshù,

他会死吗？如今他连自己的性命也保不住，你学他那个
tā huìsǐma? Rújīn tā lián zìjǐde xìngmìng yě bǎobuzhù, nǐ xué tā nèige

法术又管什么用？我看你这人可真是鬼迷心窍了！"
fǎshù yòu guǎn shénme yòng? Wǒ kàn nǐ zhè rén kě zhēn shì guǐ mí xīnqiào le!"

| 法术 | fǎshù | magic arts |
| 从前 | cóngqián | in the past; once upon a time |
| 姓 | xìng | surname |
| 金 | Jīn | *a surname* |
| 道士 | dàoshi | Taoist priest |
| 西岳山 | Xīyuè shān | Xiyue Mountains |
| 懂得 | dǒngdé | know |
| 长生不死 | cháng shēng bù sǐ | live for ever and ever; immortal |
| 动身 | dòngshēn | set out on a journey |
| 打听【聽】 | dǎting | ask about; inquire about |
| 刚【剛】 | gāng | just; only a short time ago |
| 去世 | qùshì | die; pass away |
| 埋怨 | mányuàn | blame |
| 运【運】气 | yùnqi | luck; fortune |
| 不佳 | bù jiā | bad; not good |
| 后【後】悔 | hòuhuǐ | regret; repent |

169

| | | |
|---|---|---|
| 一屁股坐在地下 | yī pìgu zuòzài dìxia | sit down on the ground all of a sudden (in a temper, in anger, in despair, etc.) |
| 呜呜【鸣】咽咽 | wūwūyèyè | sobbing; whimpering |
| 哭起来 | kūqǐlai | begin to cry or sob |
| 哭泣 | kūqì | weep; sob |
| 哎呀 | āiyā | ah; damn; My God! |
| 哭什么 | kū shénme | why on earth are you crying |
| 千里迢迢 | qiān lǐ tiáotiáo | from afar |
| 为的是 | wèide shì | for; in order to |
| 假如 | jiǎrú | if |
| 如今 | rújīn | now |
| 连…也… | lián…yě… | even |
| 性命 | xìngmìng | life |
| 管什么用 | guǎn shénme yòng | it's no use |
| 鬼迷心窍【竅】 | guǐ mí xīnqiào | be possessed |

# 47

## 爱 鸟
### Aì niǎo

景公 喜欢养鸟。一天,管 鸟的 烛雏 不小心, 让一只
Jǐnggōng xǐhuan yǎng niǎo.　Yī tiān, guǎn niǎo de Zhúchú bù xiǎoxīn,　ràng yīzhī

景公 最喜欢的 鸟飞跑了。景公大怒,命令把烛雏处死。
Jǐnggōng zuì xǐhuan de niǎo fēipǎole.　Jǐnggōng dànù,　mìnglìng bǎ Zhúchú chǔsǐ.

晏子听说 要处死烛雏, 赶忙 跑去见 景公 说:"我
Yànzǐ tīngshuō yào chǔsǐ Zhúchú, gǎnmáng pǎoqu jiàn Jǐnggōng shuō: "Wǒ

看, 烛雏犯了 三桩 该杀的罪, 我且 一桩桩 说给
kàn, Zhúchú fànle sānzhuāng gāi shā de zuì,　wǒ qiě yīzhuāngzhuāng shuōgěi

烛雏听, 让他死得心服口服。"景公 说: "好。"
Zhúchú tīng, ràng tā sǐde xīn fú kǒu fú." Jǐnggōng shuō: "Hǎo."

晏子慢步走到 烛雏 面前, 大声地说:
Yànzǐ mànbù zǒudào Zhúchú miànqián, dàshēngde shuō:

"你替大王 管鸟, 却让 鸟飞跑了,这是第一桩罪。
"Nǐ tì dàiwáng guǎn niǎo,　què ràng niǎo fēipǎole,　zhè shì dìyīzhuāng zuì.

你使得大王因为丢了一只鸟就要杀人, 这是第二桩罪。
Nǐ shǐde dàiwáng yīnwèi diūle yīzhī niǎo jiù yào shā rén,　zhè shì dì'èrzhuāng zuì.

你掉了脑袋, 外国人还要 责怪 我们 大王 爱鸟 不爱人,
Nǐ diàole nǎodai,　wàiguórén hái yào zéguài wǒmen dàiwáng ài niǎo bú ài rén,

这是第三桩罪。烛雏 啊, 你说 你该死不该死?!"
zhè shì dìsānzhuāng zuì. Zhúchú a,　nǐ shuō nǐ gāi sǐ bù gāi sǐ?!"

---

据《说苑》改写。参看第39页第十篇故事的注解。

景公 赶紧走过来，说：
Jǐnggōng gǎnjǐn zǒuguòlai, shuō:

"不能杀！不能杀！我——错了。"
"Bù néng shā! Bù néng shā! Wǒ —— cuòle."

| 景公 | Jǐnggōng | Duke of Jing |
| 养【養】鸟 | yǎng niǎo | keep pet birds |
| 管 | guǎn | be in charge of; manage; run |
| 烛雏【燭雛】 | Zhúchú | *name of a person* |
| 小心 | xiǎoxīn | careful |
| 大怒 | dànù | fly into a rage |
| 命令 | mìnglìng | order |
| 处【處】死 | chùsǐ | put to death |
| 晏子 | Yànzǐ | *name of a person* |
| 赶【趕】忙 | gǎnmáng | hurry |
| 犯罪 | fàn zuì | commit a crime |
| 桩 | zhuāng | *m.w.* |
| 且 | qiě | just; for the time being |
| 一桩桩 | yīzhuāngzhuāng | one after another |
| 心服口服 | xīn fú kǒu fú | be sincerely convinced |
| 慢步 | mànbù | slowly |
| 使得 | shǐde | cause; make; render |
| 掉脑【腦】袋 | diào nǎodai | lose one's head; behead; decapitate |
| 外国人 | wàiguórén | foreigner |
| 责怪 | zéguài | blame |
| 该死 | gāi sǐ | deserve one's capital punishment; ought to die |
| 赶紧 | gǎnjǐn | hasten; lose no time |

172

# 48

## 蜡 烛 的 光
### Làzhúde guāng

平公 有一次对他的臣子师 旷 说：
Pínggōng yǒu yīcì duì tāde chénzi Shī Kuàng shuō:

"我年纪大了，都七十啦！很 想 多求些学问，读些
"Wǒ niánjì dà le, dōu qī shí la! Hěn xiǎng duō qiú xiē xuéwen, dú xiē

书，不过，总觉得太晚了。"
shū, búguò, zǒng juéde tài wǎn le."

"'太晚了'吗？为什么不点支蜡烛呢？"
"'Tài wǎn le' ma? Wèi shénme bù diǎn zhī làzhú ne?"

平公 说： "我跟你说 正经的，你倒同我开起玩笑
Pínggōng shuō: "Wǒ gēn nǐ shuō zhèngjingde, nǐ dào tóng wǒ kāiqǐ wánxiào

来了。"
lai le."

师 旷 说：
Shī Kuàng shuō:

"臣子怎敢跟大王开玩笑！少年 时期好学的人，
"Chénzi zěn gǎn gēn dàiwáng kāi wánxiào! Shàonián shíqī hàoxué de rén,

他的前途像早晨的太阳，灿烂 辉煌；壮年 时期好学
tāde qiántú xiàng zǎochénde tàiyang, cànlàn huīhuáng; zhuàngnián shíqī hàoxué

的人，就 像 中午的太阳，还有半天的好时光。人到了
de rén, jiù xiàng zhōngwǔde tàiyang, hái yǒu bàn tiānde hǎo shíguāng. Rén dàole

---

据《说苑》改写。参看第39页第十篇故事的注解。

老年，好比蜡烛的火焰，虽然不怎么明亮，但是 总比
lǎonián, hǎobǐ làzhúde huǒyàn, suīrán bù zěnme míngliàng, dànshì zǒng bǐ

漆黑一团要强 多了！"
qīhēi yītuán yào qiáng duō le!"

| | | |
|---|---|---|
| 蜡烛【蠟燭】 | làzhú [支zhī] | candle |
| 平公 | Pínggōng | Duke of Ping |
| 臣子 | chénzǐ | official (in feudal times) |
| 师旷【師曠】 | Shī Kuàng | *name of a person* |
| 年纪大 | niánjì dà | advanced in years; old |
| 都…啦 | dōu...la | already |
| 求学问 | qiú xuéwen | pursue one's studies; seek knowledge |
| 晚 | wǎn | late |
| 正经 | zhèngjing | serious |
| 开玩笑 | kāi wánxiào | joke |
| 少年 | shàonián | early youth (from 10 to 16) |
| 时期 | shíqī | period; time |
| 好学 | hàoxué | eager to learn |
| 前途 | qiántú | future; prospect |
| 早晨 | zǎochén | morning |
| 太阳 | tàiyang | sun |
| 灿烂【燦爛】 | cànlàn | bright; brilliant |
| 辉煌 | huīhuáng | glorious; splendid |
| 壮【壯】年 | zhuàngnián | prime of life; robust years (from 30 to 50) |
| 时光 | shíguāng | time |
| 老年 | lǎonián | old age |
| 好比 | hǎobǐ | may be compared to |
| 火焰 | huǒyàn | flame |
| 不怎么 | bù zěnme | not very; not so |
| 明亮 | míngliàng | bright |
| 漆黑一团【團】 | qīhēi yītuán | be in the dark; pitch-dark |
| 强 | qiáng | good; strong |

# GRAMMATICAL NOTES VI

## 40 Expressions

| | | | |
|---|---|---|---|
| 1. | 疑问 | Yíwèn | Query |
| 2. | 反问 | Fǎnwèn | Rhetorical question |
| 3. | 强调 | Qiángdiào | Emphasis |
| 4. | 感叹 | Gǎntàn | Exclamation |
| 5. | 和缓 | Héhuǎn | Relaxation |
| 6. | 让步 | Ràngbù | Concession |
| 7. | 被动 | Bèidòng | Passive |
| 8. | 使动 | Shǐdòng | Causative |
| 9. | 领属 | Lǐngshǔ | Possessive |
| 10. | 变化 | Biànhuà | Change |
| 11. | 完成 | Wánchéng | Completed action |
| 12. | 进行 | Jìnxíng | Progressive action |
| 13. | 持续 | Chíxù | Continuous state |
| 14. | 连动 | Liándòng | Chain actions |
| 15. | 近时 | Jìnshí | Near past or future |
| 16. | 经验 | Jīngyàn | Experience |
| 17. | 必需 | Bìxū | Necessity |
| 18. | 可能 | Kěnéng | Possibility |
| 19. | 必定 | Bìdìng | Inevitability |
| 20. | 或然 | Huòrán | Probability |
| 21. | 希望 | Xīwàng | Wish |
| 22. | 比较 | Bǐjiào | Comparison |
| 23. | 方向 | Fāngxiàng | Direction |
| 24. | 方向（引申） | Fāngxiàng (yǐnshēn) | Direction (in extended sense) |

175

| 25. | 对象 | Duìxiàng | Target |
|---|---|---|---|
| 26. | 插入 | Chārù | Insertion |
| 27. | 因果 | Yīnguǒ | Causality |
| 28. | 假设 | Jiǎshè | Supposition |
| 29. | 时间 | Shíjiān | Time |
| 30. | 条件 | Tiáojiàn | Condition |
| 31. | 地点 | Dìdiǎn | Place |
| 32. | 目的 | Mùdì | Purpose |
| 33. | 选择 | Xuǎnzé | Choice |
| 34. | 增加 | Zēngjiā | Addition |
| 35. | 极端 | Jíduān | Extreme case |
| 36. | 推断 | Tuīduàn | Reasoning |
| 37. | 相反 | Xiāngfǎn | Contrariwise |
| 38. | 取舍 | Qǔshě | Acceptance or rejection |
| 39. | 排除 | Páichú | Exclusion |
| 40. | 包含 | Bāohán | Inclusion |

1. Query （疑问）

他 是 外科 医生 吗？
Tā shì wàikē yīshēng ma?

晏子 来了 吗？
Yànzǐ láile ma?

这 匹 马 跑得 快 不 快？
Zhèipǐ mǎ pǎode kuài bu kuài?

将 军 爱 不 爱 喝 酒？
Jiāngjūn ài bu ài hē jiǔ?

老 王 的 眼力 好，还是 老 张 的 眼力 好？
Lǎo Wángde yǎnlì hǎo, háishi Lǎo Zhāngde yǎnlì hǎo?

羊 到底 跑 哪儿 去 了？
Yáng dàodǐ pǎo nǎr qù le?

他 是 不 是 掉 水里 去 了？
Tā shì bu shì diào shuǐli qù le?

176

酒 来了。 酒杯 呢?
Jiǔ láile. Jiǔbēi ne?

下 雨 了?
Xià yǔ le?

2. Rhetorical Question （反问）

他 不 是 医生 吗? 这点儿 小 病 还 治不了?
Tā bú shì yīshēng ma? Zhèidiǎnr xiǎo bìng hái zhìbuliǎo?

大 鹏鸟 能 飞 多 高, 我 怎么 知道?
Dà péngniǎo néng fēi duō gāo, wǒ zěnme zhīdao?

羊 丢了, 不 找 你 找 谁?
Yáng diūle, bù zhǎo nǐ zhǎo shéi?

箭头 在 肉里, 关 我 什么 事? 难 道 我 是 内科 医生
Jiàntóu zài ròuli, guān wǒ shénme shì? Nándào wǒ shì nèikē yīshēng

吗!
ma!

3. Emphasis （强调）

焦 琼 哪儿 会 去 给 谭 富 拍 马屁!
Jiāo Qióng nǎr huì qù gěi Tán Fù pāi mǎpì!

神坛里的 老鼠, 没有 一个 人 不 讨厌, 但是 谁 也
Shéntánlide lǎoshǔ, méi yǒu yīge rén bù tǎoyàn, dànshì shéi yě

不 敢 去 动 它们 一下。
bù gǎn qù dòng tāmen yīxià.

他 连 "一" 字 还 认不得 呢!
Tā lián "yī" zì hái rènbude ne!

早 着 呢, "八" 字 还 没 有 一撇 呢!
Zǎozhe na, "bā" zì hái méi yǒu yīpiě ne!

新 种 的柳树 一棵 都 不 少, 这 可 把 员外 乐坏了。
Xīn zhòng de liǔshù yīkē dōu bù shǎo, zhè kě bǎ yuánwài lèhuàile.

苏 东 坡 是 了不起, 我 就 (是) 佩服 他!
Sū Dōngpō shì liǎobuqǐ, wǒ jiù (shi) pèifu tā!

文 彦博 是 个 大官， 谁 都 想 奉 承 他 几句。
Wén Yànbó shì ge dà guān, shéi dōu xiǎng fèngcheng tā jǐjù.

一 听 鼓 响， 人人 都 扛着 家伙 跑来了。
Yī tīng gǔ xiǎng, rénrén dōu kángzhe jiāhuo pǎoláile.

4. Exclamation （感叹）

这 座 中 天 台 多么 高 啊！
Zhèizuò Zhōngtiān tái duōme gāo a!

你 听， 他 吹 得 多 好 啊！
Nǐ tīng, tā chuīde duō hǎo a!

你 太 性急 了！
Nǐ tài xìngjí le!

什 么？！ 你 说 我 们 齐国 没 有 人？！
Shénme?! Nǐ shuō wǒmen Qíguó méi yǒu rén?!

淮 南 的 橘子 味道 真 不 错 啊！
Huáinánde júzi wèidao zhēn búcuò a!

5. Relaxation （和缓）

那么， 酒 到底 为 什么 卖 不出去 呢？
Nàme, jiǔ dàodǐ wèi shénme màibuchūqù ne?

这 件 事 恐怕 还 得 商量商量 吧。
Zhèijiàn shì kǒngpà hái děi shāngliangshāngliang ba.

我 不过 说 说 而已， 何必 当 真？
Wǒ búguò shuōshuō éryǐ, hébì dàng zhēn?

他 们 喜欢 蚕， 无非 是 因为 蚕 对 他 们 有 好 处。
Tāmen xǐhuan cán, wúfēi shì yīnwèi cán duì tāmen yǒu hǎochu.

许 绾 扛着 铁 锹 来 见 魏王， 不过 是 想 借题
Xǔ Wǎn kángzhe tiě qiāo lái jiàn Wèiwáng, búguò shì xiǎng jiè tí

发挥， 劝 劝 国 王 罢了。
fāhuī, quànquan guówáng bàle.

178

6. Concession （让步）

他 虽然 嘴里 说 要 大家 多多 进谏，但是 大臣们的
Tā suīrán zuǐli shuō yào dàjiā duōduō jìnjiàn, dànshì dàchénmende

第一条 意见他就 听不进去。
dìyītiáo yìjian tā jiù tīngbujìnqu.

你 尽管 有 了 一些 进步，但是 离秦 青 的 功夫 还差 得
Nǐ jǐnguǎn yǒule yīxiē jìnbù, dànshì lí Qín Qīngde gōngfu hài chàde

远 呢!
yuǎn ne!

虽 说 吃 的 不是 河阳 猪 肉，不过，苏 东 坡 说
Suīshuō chī de bú shì Héyáng zhūròu, búguò, Sū Dōngpō shuō

好 吃，那么 跟着 说 好吃 总 没 错。
hǎochī, nàme gēnzhe shuō hǎochī zhǔn méi cuò.

7. Passive （被动）

楚 王 被 晏子 驳得 哑 口 无 言。
Chǔwáng bèi Yànzǐ bóde yà kǒu wú yán.

粮 食 让 神坛里的 老鼠 给 糟踏了。
Liángshi ràng shéntánlide lǎoshǔ gěi zāotale.

字帖 叫 他 儿子 卖了。
Zìtiè jiào tā érzi màile.

恶龙 终 于 给 杀了。
E lóng zhōngyú gěi shāle.

厉 王 喝醉了 酒 乱 敲 鼓。老百姓 受了 他的 骗 了。
Lìwáng hēzuìle liǔ luàn qiāo gǔ. Lǎobǎixing shòule tāde piàn le.

大 王 八 这 一下 可 遭了 灭 顶 之 灾。
Dà wángba zhèi yīxià kě zāole miè dǐng zhī zāi.

城 下 一 战，大将军 为 乱 箭 所 伤。
Chéngxià yī zhàn, Dàjiāngjūn wéi luàn jiàn suǒ shāng.

手 稿 誊好了。
Shǒugǎo ténghǎole.

179

鸡蛋 砸碎了。
Jīdàn záisuìle.

8. Causative （使动）

老 百 姓 对 苏 东 坡 讲 的 那 番 话, 使 客 人 们 非 常
Lǎobǎixìng duì Sū Dōngpō jiǎngde nèifān huà, shǐ kèrenmen fēicháng

尴尬。
gāngà.

大 官 要 来 寺 院 游 玩, 使 得 和 尚 三 天 不 得 安 宁。
Dà guān yào lái sìyuàn yóuwán, shǐde héshang sān tiān bù dé ānníng.

让 孩子 去 酒店 打 壶 酒 来。
Ràng háizi qù jiǔdiàn dǎ hú jiǔ lái.

苏 东 坡 派 人 去 河 阳 买 猪。
Sū Dōngpō pài rén qù Héyáng mǎi zhū.

武 王 叫 扁 鹊 给 他 治 病。
Wǔwáng jiào Biǎn Què gěi tā zhì bìng.

柳 宗 元 打发 家人 去 请 医生。
Liǔ Zōngyuán dǎfa jiārén qù qǐng yīshēng.

魏 王 强 迫 老百姓 替他 修 中 天 台。
Wèiwáng qiángpò lǎobǎixìng tì tā xiū Zhōngtiān tái.

赵 简 子 明 白 了, 请 求 尹 绰 宽 恕 他。
Zhào Jiǎnzǐ míngbaile, qǐngqiú Yǐn Chuò kuānshù tā.

9. Possessive （领属）

大 王 想 修 中 天 台 的 这 块 地 方, 并 不 属
Dàiwáng xiǎng xiū Zhōngtiān tái de zhèikuài dìfang, bìng bù shǔ

咱 们 魏 国 （所有）。
zánmen Wèiguó (suǒ yǒu).

这 件 事 由 祈 午 去 办 吧。
Zhèijiàn shì yóu Qí Wǔ qù bàn ba.

由 国 王 出 面, 谁 敢 说 半 个 "不" 字?
Yóu guówáng chū miàn, shéi gǎn shuō bànge "bù" zì?

180

您 付 五 百 两 银子，这盒 珠宝 就 归 您 了。
Nín fù wǔbǎiliǎng yínzi, zhèihé zhūbǎo jiù guī nín le.

他 用 箭 射下来 的 鸟 当 然 该 归 他（所有）。
Tā yòng jiàn shèxialai de niǎo dāng rán gāi guī tā (suǒ yǒu).

那 位 "外科医生" 对 武 将 说："肉里的 事 不 归
Nèiwèi "wàikē yīshēng" duì wǔjiàng shuō: "Ròulide shì bù guī

我 外科 医 生 管。"
wǒ wàikē yīshēng guǎn."

## 10. Change （变化）

现在 他 是 大 臣 了，谁 还 敢 惹他？
Xiànzài tā shì dàchén le, shéi hái gǎn rě tā?

我 老 了，不 中 用 了。
Wǒ lǎo le, bù zhōngyòng le.

这 一下，公息 忌就可以 赚 大 钱 了！
Zhèi yīxià, Gōngxī Jì jiù kěyǐ zhuàn dà qián le!

恶龙 再也不会来 兴 风 作 浪 了。
E lóng zài yě bú huì lái xīng fēng zuò làng le.

人 大 了，心眼 也 多 了。
Rén dà le, xīnyǎn yě duō le.

酒 放的 时间 长 了，渐渐地 变 酸 了。
Jiǔ fàngde shíjiān cháng le, jiànjiànde biàn suān le.

你们 真 是 活 见 鬼 了！
Nǐmen zhēnshi huó jiàn guǐ le!

## 11. Completed Action （完成）

海 鸟 受不了 这 样 殷勤的 招待，过了三 天 就
Hǎiniǎo shòubùliǎo zhèiyàng yīnqínde zhāodài, guò le sān tiān jiù

死了。
sǐle.

这 些 年 来，不 知 伤 害 了 多 少 斑 鸠。
Zhèixiē nián lái bùzhī shānghài le duōshao bān jiū.

他 在 街上 挂了 一块 招牌。
Tā zài jiēshang guàle yīkuài zhāopai.

是 海猪 拱塌 的 堤岸?! 朱 元 璋一 听，还 不 得
Shì hǎizhū gǒngtā de dī'an?! Zhū Yuánzhāng yī tīng, hái bù děi

灭了 你 九族!
mièle nǐ jiǔzú!

喝 完 酒 再 吃 饭。
Hēwán jiǔ zài chī fàn.

吃 过 饭 就 来。
Chīguò fàn jiù lái.

## 12. Progressive Action （进行）

国 王 正 在 发火 呢。
Guówáng zhèng zài fā huǒ ne.

他 正 要 点 蜡烛，仆人 把 灯 拿来了。
Tā zhèng yào diǎn làzhú, púrén bǎ dēng nálaile.

他们 正 在 喝酒，小 官 带着 一个 犯人 来 见 楚
Tāmen zhèng zài hē jiǔ, xiǎo guān dàizhe yīge fànrén lái jiàn Chǔ-

王。
wáng.

小 官 进来 的 时候， 楚王 同 晏子 正 在 喝 酒
Xiǎo guān jìnlai de shíhou, Chǔwáng tóng Yànzǐ zhèng zài hē jiǔ

（呢）。
(ne).

## 13. Continuous State （持续）

老 人 手里 托着 一只 鸟 笼。
Lǎorén shǒuli tuōzhe yīzhī niǎolóng.

表 兄 表弟 早 知道了，你 还 瞒着 他们 呢。
Biǎoxiōng biǎodì zǎo zhīdaole, nǐ hái mánzhe tāmen ne.

匾 上 写着 什么 字?
Biǎnshang xiězhe shénme zì?

182

桌 子 上 摆着 两 副 碗 筷， 还 有 一 壶 酒。
Zhuōzishang bǎizhe liǎngfù wǎn kuài, hái yǒu yīhú jiǔ.

杨 布 回 家 的 时候， 穿 着 一 身 黑 衣服。
Yáng Bù húi jiā de shíhou, chuānzhe yīshēn hēi yīfu.

盒子里 盛 着 珠宝。
Hézili chéngzhe zhūbǎo.

## 14. Chain Actions （连动）

他 杀了 只 鸡 给 客人 吃。
Tā shāle zhi jī gěi kèren chī.

许 绾 扛 着 一 把 铁 锹 去 见 魏 王。
Xǔ Wǎn kángzhe yībǎ tiěqiāo qù jiàn Wèiwáng.

医 生 把 药 罐里的 药渣 倒 出来 一 看， 原来 不 是
Yīshēng bǎ yàoguànlide yàozhā dàochūlai yī kàn, yuánlái bú shì

茯苓。
fúlíng.

咱们 买 点 肉 来 下 酒， 好 吗?
Zánmen mǎi diǎn ròu lái xiàjiǔ, hǎo ma?

焦 琼 穷 得 没 有 饭 吃，也 不 去 奉 承 谭 富。
Jiāo Qióng qióngde méi yǒu fàn chī, yě bú qù fèngcheng Tán Fù.

金 道士 动 身 去 西 岳 山 找 会 法术 的 人 请教。
Jīn dàoshi dòngshēn qù Xīyuè shān zhǎo huì fǎshù de rén qǐngjiào.

王 蓝田 抓 起 鸡蛋 就 扔 在 地下。
Wáng Lántián zhuāqǐ jīdàn jiù rēngzài dìxia.

来， 我 来 帮 你 捆 猪。
Lái, wǒ lái bāng nǐ kǔn zhū.

仆 人 拿 了 蜡烛 在 旁 边 站着。
Púrén nále làzhú zài pángbiān zhànzhe.

## 15. Near Past or Future （近时）

我 也 是 刚 到， 比 你 早 不 了 两 分 钟。
Wǒ yě shì gāng dào, bǐ nǐ zǎobuliǎo liǎngfēn zhōng.

刚 才 我 对 你 说 什么 来着？ 你 不 肯 听 嘛。
Gāngcái wǒ duì nǐ shuō shénme láizhe?  Nǐ bù kěn tīng ma.

你 早 干 什么 来着？ 现在， 这些 草字 连 我 自己 也
Nǐ zǎo gàn shénme láizhe?  Xiànzài, zhèixiē cǎozì lián wǒ zìjǐ yě

不 认得 了。
bú rènde le.

懒 老五 眼看 就 要 咽气 了。
Lǎn Lǎowǔ yǎnkàn jiù yào yànqì le.

宰相 快 淹死 了。
Zǎixiàng kuài yānsǐ le.

堤岸 要 塌 了。
Dīàn yào tāle.

人家 才 来， 怎么 能 怪 人家 呢？
Rénjia cái lái,  zěnme néng guài rénjia ne?

我 一会儿 就 去，别 着急。
Wǒ yīhuìr jiù qù, bié zhāojí.

县 官 老爷 请 你 马 上 就 去。
Xiànguān lǎoye qǐng nǐ mǎshàng jiù gù.

16. Experience  （经验）

谁 也 没 有 见过 这 种 海鸟。
Shéi yě méi yǒu jiànguo zhèizhǒng hǎiniǎo.

有 人 到 酒店 来过。
Yǒu rén dào jiǔdiàn láiguo.

他 们 俩 到 酒店 来 喝过 酒。
Tāmen liǎ dào jiǔdiàn lái hēguo jiǔ.

南 郭 先 生 曾 经 参加过 乐队。
Nánguō xiānsheng céngjīng cānjiāguo yuèduì.

文 彦博 曾 在 长 安 当 过 大官。
Wén Yànbó céng zài Chángān dāngguo dà guān.

184

## 17. Necessity （必需）

院子里 新 种了 一排 柳树， 要 注意 看守。
Yuànzili xīn zhòngle yīpái liǔshù, yào zhùyì kānshǒu.

你的 病 不 轻， 得 休养 一个 时期。
Nǐde bìng bù qīng, děi xiūyǎng yīge shíqī.

要 想 把技术 学到 手， 必须 花 力气。
Yào xiǎng bǎ jìshù xuédào shǒu, bìxu huā lìqi.

羊 找回来了， 你们 不必 去了。
Yáng zhǎohuílaile, nǐmen búbì qùle.

我们自己割肉自己吃，不用 别人来 管。
Wǒmen zìjǐ gē ròu zìjǐ chī, búyòng biéren lái guǎn.

一只羊 用不着那么多人去找。
Yīzhī yáng yòngbuzháo nàme duō rén qù zhǎo.

## 18. Possibility （可能）

谁 能 看见 匾上的 那 两行 小字？
Shéi néng kànjiàn biǎnshangde nèi liǎngháng xiǎo zì?

你 放心 走过去， 那条 狗不会 咬你的。
Nǐ fàngxīn zǒuguòqu, nèitiáo gǒu bú huì yǎo nǐ de.

这个 池塘里 可以 钓 鱼 吗？
Zhèige chítángli kěyǐ diào yú ma?

鼓 又 响起来了， 可能 楚 王 又 喝醉 酒了。
Gǔ yòu xiǎngqǐlaile, kěnéng Chǔwáng yòu hēzuì jiǔ le.

鳝鱼可以吃， 这种 鱼吃不得。
Shànyú kěyǐ chī, zhèizhǒng yú chībude.

这么 小的 盒子怎么 装得下 那么些 珠宝？
Zènme xiǎode hézi, zěnme zhuāngdexià nàme xiē zhūbǎo?

解狐 当得了 县长 吗？
Xiè Hú dāngdeliǎo xiànzhǎng ma?

### 19. Inevitability （必定）

祁 午 去 当 法官，一 定 能 胜 任 的。
Qí Wǔ qù dāng fǎguān, yídìng néng shèngrèn de.

敢 下 水 去 斗 恶 龙 的，必定 是 勇 士。
Gǎn xià shuǐ qù dòu è lóng de, bìdìng shì yǒngshì.

斧子 准 是 叫 隔壁 那 小子 偷去了。
Fǔzi zhǔn shi jiào gébì nà xiǎozi tōuqule.

那个 坐 车 的 肯定 是 你的 亲戚。
Nèige zuò chē de kěndìng shì nǐde qīnqi.

### 20. Probability （或然）

公 息 忌 提 这样 的 建议，大概 是 为了 赚 大 钱 吧。
Gōngxī Jì tí zhèiyàngde jiànyì, dàgài shì wèile zhuàn dà qián ba.

扁 鹊 恐怕 不 一定 能 治 好 大王的 病。
Biǎn Què kǒngpà bù yídìng néng zhìhǎo dàiwéngde bìng.

二位 也许 没 打听 清楚，新 區 要 中 午 才 挂 出 来
Erwèi yěxǔ méi dǎting qīngchu, xīn biǎn yào zhōngwǔ cái guàchūlai

呢！
ne!

### 21. Wish （希望）

我 想 给 大王 推荐 一个 人。
Wǒ xiǎng gěi dàiwáng tuījiàn yīge rén.

他 打算 跟 秦 青 学 唱 歌。
Tā dǎsuan gén Qín Qīng xué chàng gē.

谁 愿意 为了 打 老鼠 去 触犯 神 明 呢？
Shéi yuànyi wèile dǎ lǎoshǔ qù chùfàn shénmíng ne?

主 人 急着 去 讨赏，一早 就 抱着 白 头 猪 过 河 去
Zhǔren jízhe qù tǎoshǎng, yīzǎo jiù bàozhe bái tóu zhū guò hé qù

了。
le.

186

## 22. Comparison （比较）

割 肉 自 啖 的 "勇士"，真 是 一个 比 一个 愚蠢。
Gē ròu zì dàn de "yǒngshì", zhēn shi yīge bǐ yīge yúchǔn.

衙 门 里 哪 有 你们 这 寺院 清静!
Yámenli nǎ yǒu nǐmen zhè sìyuàn qīngjìng!

少 年 好 学 的 人, 好 象 早晨 的 太阳。
Shàonián hào xué de rén, hǎoxiàng zǎochénde tàiyang.

老 年 人 好比 蜡烛的 火焰, 同 样 能 够 放 光。
Lǎonián rén hǎobǐ làzhúde huǒyàn, tóngyàng nénggòu fàng guāng.

祁 午 跟 他 父亲 一样 正直。
Qí Wǔ gēn tā fùqin yīyàng zhèngzhí.

## 23. Direction （方向）

大家 都 回去了, 我 们 也 就 回 家 来了。
Dàjiā dōu huíqùle, wǒmen yě jiù huí jiā láile.

杨 布 穿 了 一套 黑 衣服 回来了。
Yáng Bù chuānle yītào hēi yīfu huílaile.

杨 布 借回 一套 黑 衣服 来。
Yáng Bù jièhuí yītào hēi yīfu lai.

杨 布 借回来 一套 黑 衣服。
Yáng Bù jièhuílai yītào hēi yīfu.

你 给 他 把 这 套 衣服 送回去。
Nǐ gěi tā bǎ zhèitào yīfu sònghuíqu.

媳妇 端 上 来 一碗 煮 鸡蛋。
Xífù duānshanglai yīwǎn zhǔ jīdàn.

她 端 上 一碗 鸡蛋 来。
Tā duānshang yīwǎn jīdàn lai.

快 把 煮 鸡蛋 端 上 楼 去!
Kuài bǎ zhǔ jīdàn duānshang lóu qu!

快 把 鸡蛋 给 我 端 上 楼 来!
Kuài bǎ jīdàn gěi wǒ duānshang lóu lai!

## 24. Direction  (in extended sense)  （方向〔引申〕）

他 是 谁，你 还 看不出来 吗？
Tā shì shéi, nǐ hái kànbuchūlai ma?

我 想起来了，今天 是 表弟的 生日。
Wǒ xiǎngqǐlaile, jīntiān shì biǎodìde shēngrì.

才 结婚 三 天，就 吵起 架 来 了。
Cái jiéhūn sān tiān, jiù chǎoqǐ jià lái le.

天 渐渐 黑下来了。再 要 黑下去，就 该 点 灯 了。
Tiān jiànjiàn hēixialaile. Zài yào hēixiaqu, jiù gāi diǎn dēng le.

天 亮起来了，雨 快 停 了。
Tiān liàngqǐlaile, yǔ kuài tíng le.

唱 得 好！ 唱 得 好！ 唱下去！
Chàngde hǎo!  Chàngde hǎo!  Chàngxiaqu!

大 臣 眼珠 一 转，想 出 一个 主意 来。
Dàchén yǎnzhū yī zhuàn, xiǎngchū yīge zhǔyi lai.

房子 已经 买 下 （来）了，过 两 天 就 可以 搬进去 住了。
Fángzi yǐjīng mǎixià (lai) le, guò liǎng tiān jiù kěyǐ bānjìnqu zhùle.

说 起来 容 易，做 起来 难 啊！
Shuōqǐlai  róngyì, zuòqǐlai nán a!

争 来 争 去，有 什么 意义？！
Zhēnglái zhēngqù, yǒu shénme yìyì?!

## 25. Target  （对象）

魏 王 对 谁 都 爱 发 脾气。
Wèiwáng duì shéi dōu ài fā píqi.

祁 黄 羊 向 国 王 推荐 自已的 儿子。
Qí Huángyáng xiàng guówáng tuījiàn zìjǐde érzi.

更 赢 朝 空 中 看了 一会儿，就 知 道 那 是 一只
Gēng Yíng cháo kōngzhōng kànle yìhuìr, jiù zhīdao nà shì yīzhī

倒霉 的 惊 弓 之 鸟。
dǎoméide jīng gōng zhī niǎo.

张　　三　跟李四借钱，李四不借。
Zhāng Sān gēn Lǐ Sì jiè qián, Lǐ Sì bú jiè.

张　　三　向　王　五　借钱，　王　五　借给他五　两
Zhāng Sān xiàng Wáng Wǔ jiè qián, Wáng Wǔ jiègěi tā wǔliǎng

银子。
yínzi.

李四不肯借钱给张　三，　张　　三只好去借王
Lǐ Sì bù kěn jiè qián gěi Zhāng Sān, Zhāng Sān zhǐhǎo qù jiè Wáng

五的　钱了。
Wǔde qián le.

他给我讲了　　上　面　这三个例子，borrow 和 lend
Tā gěi wǒ jiǎngle shàngmian zhè sānge lìzi, "borrow" hé "lend"

中　文　怎么说，我就明白了。
zhōngwén zěnme shuō, wǒ jiù míngbaile.

## 26. Insertion　（插入）

看起来，朱　元　璋　的　忌讳把老百姓害苦了。
Kànqǐlai, Zhū Yuánzhāngde jìhui bǎ lǎobǎixìng hàikǔle.

说起来，咱们　两　家还沾　点儿表　亲呢！
Shuōqǐlai, zánmen liǎng jiā hái zhān diǎnr biǎo qīn ne!

丢了只羊有什么关系，再　说，又不是您家的
Diūle zhī yáng yǒu shénme guānxi, zài shuō, yòu bú shì nín jiāde

羊，您为什么这样不高兴？
yáng, nín wèi shénme zhèiyàng bù gāoxìng?

会　法术怎么死了？据我看，你是上　当啦！
Huì fǎshù zěnme sǐle? Jù wǒ kàn, nǐ shì shàngdàng la!

据说，大鹏鸟一飞就是九万里呢！
Jùshuō, dà péng niǎo yī fēi jiùshi jiǔwàn lǐ ne!

## 27. Causality　（因果）

因为苏东坡是一代名流，所以他说的话错不了。
Yīnwèi Sū Dōngpō shì yīdài míngliú suǒyǐ tā shuō de huà cuòbuliǎo.

189

由于 苏 东坡 爱吃 这种 红烧肉， "东坡肉"
Yóuyú Sū Dōngpō ài chī zhèizhǒng hóngshāoròu, "Dōngpōròu"

也 就 出了 名。
yě jiù chūle míng.

苏 东坡 可 并 不是 因为 红烧肉 才 出 的 名。
Sū Dōngpō kě bìng bú shì yīnwèi hóngshāoròu cái chū de míng.

歪 脖子 有 什么 过错？ 因此， 可笑的 不是 那个 先
Wāi bózi yǒu shénme guòcuò? Yīncǐ, kěxiàode bú shì nèige xiān-

天 有 病 的 人， 可笑的 是 那些 好奇 而 又 想
tiān yǒu bìng de rén, kěxiàode shì nèixiē hàoqí ér yòu xiǎng

当 然 的 张 三、 李 四们。
dāngrán de Zhāng Sān, Lǐ Sìmen.

主人 想 献 白头 猪，是 因为 他 和 周围的 人 都
Zhǔren xiǎng xiàn bái tóu zhū, shì yīnwèi tā hé zhōuwéide rén dōu

没 有 见过 白头 猪。
méi yǒu jiànguo bái tóu zhū.

每 回 都 是 三百 人 一齐 吹 竽，以致 被 南郭 先 生
Měihuí dōu shì sānbǎi rén yīqí chuī yú, yǐzhì bèi Nánguō xiānsheng

钻 了 空子。
zuānle kòngzi.

那 位 大臣 不 小 心 犯了 朱 元璋 的 忌讳，因而 被
Nèiwèi dàchén bù xiǎoxīn fànle Zhū Yuánzhāngde jìhui, yīn'ér bèi

灭 了 九族。
mièle jiǔzú.

28. Supposition （假设）

淮南 的 橘树，如果 移植到 淮北， 就 会 变成 枳
Huáinán de júshù, rúguǒ yízhídào Huáiběi, jiù huì biànchéng zhǐ-

树。
shù.

190

假如 海滩上的 小鸟 也能 象 大 鹏 那样 飞，
Jiǎrú hǎitānshangde xiǎo niǎo yě néng xiàng dà péng nàyàng fēi,

大 鹏 就 没 什么 了不起 了。
dà péng jiù méi shénme liǎobuqǐ le.

要 不是 鱼 贩子 把"神鱼"的 来历 讲清楚， 这些 人
Yàobúshì yú fànzi bǎ "shěnyú" de láilì jiǎngqīngchu, zhèxiē rén

还 不知 要 闹到 什么 地步 呢！
hái bùzhī yào nàodào shénme dìbù ne!

假使 把 看 门 狗 杀 了， 谁 来 给 你 看家 护院 啊！
Jiǎshǐ bǎ kān mén gǒu shāle, shéi lái gěi nǐ kān jiā hù yuàn a!

薛 谭 即使 再 学 上 三个 月， 也 达 不到 秦 青 的 水
Xuē Tán jíshǐ zài xuéshang sānge yuè, yě dábudào Qín Qīngde shuǐ-

平。
píng.

就 算 你 是 真 为了"放 生"， 可是 实际 上 你 已经
Jiù suàn nǐ shì zhēn wèile "fàngshēng", kěshì shíjìshang nǐ yǐjing

害了 多少 斑鸠 了。
hàile duōshao bānjiū le.

楚 王 就是 把 鼓 敲破 了，老 百姓 也 不会 再 来 救 他 了。
Chǔwáng jiùshi bǎ gǔ qiāopòle, lǎobǎixìng yě búhuì zài lái jiù tā le.

做 国 王 的 哪怕 只 失 信 一回，老 百姓 也 不会 轻易
Zuò guówáng de nǎpà zhǐ shī xìn yīhuí, lǎobǎixìng yě búhuì qīngyì

相信 他 了。
xiāngxìn tā le.

你 回去 吧， 说 破 了 嘴 也 没 有 用 的。
Nǐ huíqu ba, shuōpòle zuǐ yě méi yǒu yòng de.

走 就 走， 上 衙门 我 就 怕 你 吗！
Zǒu jiù zǒu, shàng yámen wǒ jiù pà nǐ ma!

29. Time （时间）

大 王， 晏子 昨天 已经 到 了。
Dàiwáng, Yànzǐ zuótiān yǐjing dàole.

191

晏子 来的 时候，坐 的 是 什么 车？
Yànzǐ láide shíhou, zuò de shì shénme chē?

今 天 他 在 干 什 么？
Jīntiān, tā zài gàn shénme?

明 天 叫 晏子 来 赴 宴。 他 一 进 宫， 你 们 就 来 告诉
Míngtiān jiào Yànzǐ lái fù yàn. Tā yī jìn gōng, nǐmen jiù lái gàosu

我。
wǒ.

每 到 清 明 节，人 们 就 要 去 扫 墓。
Měi dào Qīngmíng jié, rénmen jiù yào qù sǎo mù.

每 逢 赶集 的 时候， 都 有 人 在 广 场 上 玩儿
Měi féng gǎnjí de shíhou, dōu yǒu rén zài guǎngchǎngshang wánr

把戏。
bǎxì.

药 得 天天 吃， 吃到 病 好 为止。
Yào děi tiāntiān chī, chīdào bìng hǎo wéizhǐ.

他 一 讲 话，就 爱 从 盘古 开 天 地 讲 起，把 人 烦 死 了。
Tā yī jiǎng huà, jiù ài cóng Pángǔ kāi tiān dì jiǎngqǐ, bǎ rén fángsǐ le.

他 一 讲 就 是 一 上午。 今 天 只 讲 了 两 个 小 时，
Tā yī jiǎng jiù shì yī shàngwǔ, jīntiān zhǐ jiǎngle liǎngge xiǎoshí,

算 短 的 了。
suàn duǎnde le.

他 唱 了 半 天 了，还 在 唱 呢。
Tā chàngle bàntiān le, hái zài chàng ne.

四 十 年 抽 了 三 十 年 鸦 片，还 能 有 什 么 出 息
Sìshí nián chōule sānshí nián yāpiàn, hái néng yǒu shénme chūxi

呀!
ya!

30. Condition （条件）

只 要 有 酒，他 就 喝；只 要 喝 上 两 杯，他 就 醉 了。
Zhǐyào yǒu jiǔ, tā jiù hē; zhǐyào hēshang liǎng bēi, tā jiù zuìle.

只 有 过节 他 才 喝酒。
Zhǐyǒu guò jié tā cái hē jiǔ.

他 无论 什么 酒 都 喝。
Tā wúlùn shénme jiǔ dōu hē.

惠子 这个 人，不论 讲 什么 事，都 爱 用 比喻。
Huìzǐ zhèige rén, búlùn jiǎng shénme shì, dōu ài yòng bǐyù.

招牌 上 写着：不管 是 什么 样 的 驼背，他 都
Zhāopaishang xiězhe:  Bùguǎn shì shénmeyàngde tuóbèi,  tā dōu

能 治。
néng zhì.

任凭 楚王 玩弄 什么 阴谋，晏子 都 镇定
Rènpíng Chǔwáng wánnòng shénme yīnmóu, Yànzǐ dōu zhèndìng

自若，对答 如 流。
zìruò, duìdá rú liú.

楚 王 怎么 也 没法 把 晏子 难住。
Chǔwáng zěnme yě méifǎ bǎ Yànzǐ nánzhù.

## 31. Place （地点）

他 在 大 树下 乘 凉。
Tā zài dà shùxià chéng liáng.

他 在 树 洞里 放了 一 条 活 鱼。
Tā zài shù dòngli fàngle yītiáo huó yú.

鱼 贩 把 鱼 放在 树 洞里。
Yúfàn bǎ yú fàngzài shù dònglǐ.

你 躺在 树 下 要 着 凉 的，快 到 这儿 来 躺着。
Nǐ tǎngzài shùxià yào zhāo liáng de, kuài dào zhèr lái tǎngzhe.

胡 说! 你 在 书 上 写字，你 能 把 字 写在 书 上；
Húshuō! Nǐ zài shūshang xiě zì,  nǐ néng bǎ zì xiězài shūshang;

你 在 客厅里 唱 歌，怎么 能 说 "唱 歌 在 客
nǐ zài kètīngli chàng gē, zěnme néng shuō "chàng gē zài kè-

厅里"？难道 你 还 能 把歌"唱 在"客厅里 吗?！
tīngli"? Nándào nǐ hái néng bǎ gē"chàngzài" kètīngli ma?!

32. Purpose （目的）

百姓 捉 斑鸠，是 为了 让 国王 放生。
Bǎixìng zhuō bānjiū, shì wèile ràng guówáng fàngshēng.

为了 让 国王 显示自己的恩德，大臣们 到处 去
Wèile ràng guówáng xiǎnshì zìjǐde ēndé, dàchénmen dàochù qù

搜寻 斑鸠。
sōuxún bānjiū.

大臣们 在 朱 元 璋 面前 说 假 话，为的是
Dàchénmen zài Zhū Yuánzhāng miànqián shuō jiǎ huà, wèide shì

保住 自己的乌纱帽。
bǎozhù zìjǐde wūshāmào.

两位 "勇士" 割肉自啖，无非 是 想 借以 证 明
Liǎngwèi "yǒngshì" gē ròu zì tàn, wúfēi shì xiǎng jièyǐ zhèngmíng

自己 "勇敢"。
zìjǐ "yǒnggǎn".

我 得 赶紧 把树 洞里的 活鱼 带走，省 得 你们 再
Wǒ děi gǎnjǐn bǎ shù dònglide huó yú dàizǒu, shěngde nǐmen zài

闹 神 闹 鬼 的。
nào shén nào guǐ de.

何不 叫 他们 每 人 独 奏 一曲,也 好 了解 各人的 真实
Hébú jiào tāmen měi rén dú zòu yīqǔ, yě hǎo liǎojiě gèrénde zhēnshí

水 平 啊。
shuǐpíng a.

魏王 下了 一个"劝阻者杀"的 命令，以免 再 有
Wèiwáng xiàle yīge "quànzǔzhě shā" de mìnglìng, yǐmiǎn zài yǒu

人 来 议论 筑 中 天 台 的事。
rén lái yìlùn zhù Zhōngtiān tái de shì.

临 走 烙了 几张 饼，以便 路上 充 饥。
Lín zǒu làole jǐzhāng bǐng, yǐbiàn lùshang chōng jī.

用 比喻来 说 明 问题，总 比 用 "弹 就是 弹" 去
Yòng bǐyù lái shuōmíng wèntí, zǒng bǐ yòng "dàn jiù shì dàn" qù

敷衍 别人 强 多 了。
fūyan biéren qiáng duō le.

33. Choice （选择）

大家 都 来 看一看，文 彦博的 这 一本 是 原本，还是
Dàjiā dōu lái kànyikàn, Wén Yànbóde zhèi yīběn shì yuánběn, háishi

石 才 叔的 这 一 本 是 原本？
Shí Cáishūde zhèi yīběn shì yuánběn?

其实，河阳 猪肉 或者 岐山 猪肉，吃起来 味道 都
Qíshí, Héyáng zhūròu huòzhě Qíshān zhūròu, chīqǐlai wèidao dōu

差 不 多。
chàbuduō.

不 是 医生 误用 了 药，就是 药店 卖 假 茯苓。
Bú shì yīshēng wù yòngle yào, jiù shì yàodiàn mài jiǎ fúlíng.

次非 要么 把恶龙 杀死，要么 束 手 待毙，再没 有
Cìfēi yàome bǎ è lóng shāsǐ, yàome shù shǒu dài bì, zài méi yǒu

别的 选 择 了。
biéde xuǎn zé le.

你 是 问 我 谁 能 当 法官，还是 问 我 谁 是 我
Nǐ shì wèn wǒ shéi néng dāng fǎguān, háishi wèn wǒ shéi shì wǒ

儿子？
érzi?

34. Addition （增加）

韩 子卢 不但 没 追 上 东 郭 逡，还 把自己的 命
Hán Zǐlú búdàn méi zhuīshang Dōngguō Qūn, hái bǎ zìjǐde mìng

也 搭上 了。
yě dāshangle.

将军 两旁 点着 大蜡烛，而且还 守着 个大火炉，
Jiāngjūn liǎngpáng diǎnzhe dà làzhú, érqiě hái shǒuzhe ge dà huǒlú

又 有 酒 喝，当 然 觉得 天气 反 常 了。
yòu yǒu jiǔ hē, dāngrán juéde tiānqì fǎncháng le.

我 除了 "光 明 正直"，还 看见 "辛亥 正月"
Wǒ chúle "guāngmíng zhèngzhí", hái kànjiàn "Xīnhài Zhēngyuè"

呢！
ne!

岔路 太 多，况 且 又 是 黑夜，怎么 去 找 啊！
Chàlù tài duō, kuàngqiě yòu shì hēi yè, zěnme qù zhǎo a!

他 觉得 王 小二 说起 话来 象 小偷，并且 走起
Tā juéde Wáng Xiǎo'èr shuōqǐ huà lai xiàng xiǎotōu, bìngqiě zǒuqǐ

路来也 象 个偷斧子的人。
lù lai yě xiàng ge tōu fǔzi de rén.


## 35. Extreme Case （极端）

这条 狗 连 主人 都 不 认得 了。
Zhèitiáo gǒu lián zhǔren dōu bú rènde le.

鲁 王 甚至 让 一个 乐队 从 早 到 晚 为 这只 海
Lǔwáng shènzhì ráng yīge yuèduì cóng zǎo dào wǎn wèi zhèizhī hǎi-

鸟 演奏。
niǎo yǎnzòu.

王 老五甚至 连 脖子上的 饼都 懒得去 转 动
Wáng Lǎowǔ shènzhì lián bózishangde bǐng dōu lǎnde qù zhuàndòng

一下。
yīxià.

竹林 深处的 寺院 确实 清静 极了。
Zhúlín shēnchùde sìyuàn quèshí qīngjìng jíle.

儿子 连 "一" 字 都 记不住，可 把 老子 气死了。
Erzi lián "yī" zì dōu jìbuzhù, kě bǎ lǎozi qìsǐle.

196

金 道士 伤心 透了，竟 呜呜咽咽地 哭出 声 来。
Jīn dàoshi shāngxīn tòule, jìng wūwūyēyēde kūchu shēng lai.

割 肉自 啖以 显 勇，真 是 愚蠢 到家 了。
Gē ròu zì dàn yǐ xiǎn yǒng, zhēn shi yúchǔn dàojiā le.

大 王 不 让 大臣 发表 一点点 不同的 意见，实在
Dàiwáng bú ràng dàchén fābiǎo yīdiǎndiǎn bùtóngde yìjian, shízài

是 霸道已极。
shi bàdào yǐ jí.

他 渴得 不得了，她 也 渴得 要 命。
Tā kěde bùdéliǎo, tā yě kěde yào mìng.

36. Reasoning （推断）

邹 忌做了 一番 分析：老婆 捧 我，大概 是 因为 对
Zōu Jì zuòle yīfān fēnxī: Lǎopo pěng wǒ, dàgài shì yīnwèi duì

我 偏爱；小老婆 奉 承 我，估计是 由于 怕我；
wǒ piān'ài; xiǎolǎopo fèngcheng wǒ, gūjì shì yóuyú pà wǒ;

客人 向 我 讨好，想必 是 有 求于 我。
kèren xiàng wǒ tǎohǎo, xiǎngbì shì yǒu qiú yú wǒ.

南 郭 先生 心想，既然 国 王 要 我们 独奏，我
Nánguō xiānsheng xīnxiǎng, jìrán guówáng yào wǒmen dúzòu, wǒ

一定再也 混不下去 了，还是 趁 早 逃走 吧。
yīdìng zài yě hùnbuxiàqù le, háishi chèn zǎo táozǒu ba.

既然 上 一回 厉王 喝醉了 酒就 能 乱 敲 鼓，为
Jìrán shàng yīhuí Lìwáng hēzuìle jiǔ jiù néng luàn qiāo gǔ, wèi

什 么 他就 不 会 再来 一回 呢？ 上 过 一次 当，
shénme tā jiù bú huì zài lái yīhuí ne? Shàngguo yīcì dàng,

干 吗 还要 上 第二次？！
gànmá hái yào shàng dì'èrcì?!

37. Contrariwise （相反）

楚 王 本 想 嘲弄 晏子，结果 反倒 让 晏子
Chǔwáng běn xiǎng cháonòng Yànzi, jiéguǒ fǎndào ràng Yànzi

给　嘲弄　了一番。
gěi cháonòng le yìfān.

真　　没　想　到，儿子居然　连个 "一" 字　都　认不得。
Zhēn méi xiǎngdào, érzi jūrán lián ge "yī" zì dōu rènbude.

这　条　看　门　狗　竟　咬起主人　来了。
Zhèitiáo kān mén gǒu jìng yǎoqǐ zhǔren lai le.

大　王　对　鸟　这么　仁慈，对人　却　如此凶　狠。
Dàiwáng duì niǎo zènme réncí, duì rén què rúcǐ xiōnghěn.

这　捉　斑鸠　放生，　不仅　显示　不了你的恩德，反而
Zhè zhuō bānjiū fàngshēng, bùjǐn xiǎnshì bùliǎo nǐde ēndé, fǎn'ér

　是　杀　生　之　道啊!
　shì shā shēng zhī dào a!

你　这不是　爱斑鸠，相　反，你是害了斑鸠。
Nǐ zhè bú shì ài bānjiū, xiāngfǎn, nǐ shì hàile bānjiū.


38. Acceptance or Rejection　（取舍）

次非　想，　与其　束　手　待毙，不如　跳　进　水　去　跟恶　龙
Cìfēi xiǎng, yǔqí shù shǒu dài bì, bùrú tiàojìn shuǐ qù gēn è lóng

　拼　命。
　pīn mìng.

宁　可　让　老鼠　在　神坛里胡　作　非为，也别　去　得罪
Nìngkě ràng lǎoshǔ zài shéntánli hú zuò fēi wéi, yě bié qù dézuì

　神　灵。
　shénlíng.

与其　接　受　宝玉　破坏　原　则，宁可　坚持　原则　不　受
Yǔqí jiēshòu bǎoyù pòhuài yuánzé, nìngkě jiānchí yuánzé bú shòu

　宝　玉。
　bǎoyù.

听　扁　鹊的　话，　可能　把眼　睛治瞎；不如　听　部下的
Tīng Biǎn Quède huà, kěnéng bǎ yǎnjing zhìxiā; bùrú tīng bùxiàde

198

话， 先 把 眼 睛 保 住 再 说。
huà, xiān bǎ yǎnjing bǎozhù zài shuō.

## 39. Exclusion （排除）

除非 把 木 栏 杆 拆 了，（否则）你 是 捉不住 老鼠的。
Chúfēi bǎ mù lángān chāile, (fǒuzé) nǐ shì zhuōbuzhù lǎoshǔ de.

除非 拆了 木栏杆，你 才 能 消灭 那些 讨厌的 老鼠。
Chúfēi chāile mù lángān, nǐ cái néng xiāomiè nèixiē tǎoyànde lǎoshǔ.

除了 拆 木 栏 杆 以外，别 无 他 法。
Chúle chāi mù lángān yǐwài, bié wú tāfǎ.

除了 拆 木 栏 杆，再 没 有 别的 办法 可以 治 这些
Chúle chāi mù lángān, zài méi yǒu biéde bànfǎ kěyǐ zhì zhèixiē

老鼠。
lǎoshǔ.

除了 尹 绰 （之外），谁 也 不 肯 当 面 批 评 赵
Chúle Yǐn Chuò (zhīwài), shéi yě bù kěn dāngmiàn pīpíng Zhào

简子的 缺点。
Jiǎnzǐde quēdiǎn.

不 算 这 一匹，他 还 有 五匹 好马。
Bú suàn zhèi yīpǐ, tā hái yǒu wǔpǐ hǎo mǎ.

## 40. Inclusion （包含）

算 上 这 一匹，他 一共 有 六匹 好马。
Suànshang zhèi yīpǐ, tā yīgòng yǒu liùpǐ hǎo mǎ.

连 盒子 在 内，你 给 五百两 银子 吧。
Lián hézi zài nèi, nǐ gěi wǔbǎiliǎng yínzi ba.

连 珠宝 带 盒子，五百两 银子，少了 不 卖。
Lián zhūbǎo dài hézi, wǔbǎiliǎng yínzi, shǎole bú mài.

# 49

## 献 猪 讨 赏
### Xiàn zhū tǎo shǎng

辽东　地方的　猪，毛色都是黑的。这一年，有一家
Liáodōng dìfangde　zhū,　máo sè dōu shì hēide.　Zhè yī nián,　yǒu　yìjiā

人家的母猪，忽然生了一只白脑袋的小　猪。左邻右舍
rénjiā de mǔzhū,　hūrán shēngle yìzhī bái nǎodaide xiǎo zhū.　Zuǒlín yòushè

从来没见过 这种　白脑袋的猪，都以为是异宝。
cónglái méi jiànguo zhèizhǒng bái　nǎodaide zhū,　dōu yǐwéi shì yìbǎo.

主人听说是异宝，就动了心，他决定把这头猪送到
Zhǔrén tīngshuō shì yìbǎo,　jiù dòngle xīn,　tā juédìng bǎ zhèitóu zhū sòngdào

京城　去，献给 国王讨赏。他把猪赶到河东，发现
jīngchéng qù,　xiàngěi guówáng tǎo shǎng. Tā bǎ zhū gǎndào hédōng,　fāxiàn

据《后汉书》改写。《后汉书》是关于东汉（公元25—220年）的纪传历
史，为南朝宋（公元420—479年）范晔所编。

200

河东的猪几乎全是白 脑袋的。 他心里说 声 "惭愧",
hédōngde zhū jīhū quánshì bái nǎodaide. Tā xīnli shuō shēng "cánkuì",

连夜把猪运回河西老家去了。
liányè bǎ zhū yùnhuí héxī lǎojiā qù le.

| | | |
|---|---|---|
| 猪 | zhū | pig |
| 讨赏 | tǎo shǎng | beg for a reward |
| 辽【遼】东 | Liáodōng | *name of a place* |
| 毛 | máo | hair; feather |
| 色 | sè | color |
| 黑 | hēi | black |
| 人家 | rénjiā [家 jiā] | family |
| 母 | mǔ | female (animal) |
| 母猪 | mǔzhū | sow |
| 忽然 | hūrán | suddenly |
| 生 | shēng | bear; give birth to |
| 白 | bái | white |
| 脑袋 | nǎodai | head |
| 左邻【鄰】右舍 | zuǒlín yòushè | neighbors |
| 从来没有 | cónglái méi yǒu | never |
| 异宝【異寶】 | yìbǎo | rare treasure |
| 动心 | dòng xīn | one's desire is aroused |
| 京城 | jīngchéng | capital |
| 赶 | gǎn | drive |
| 河 | hé | river |
| 东 | dōng | east; to the east of |
| 几乎 | jīhū | almost |
| 全 | quán | all |
| 心里 | xīnli | in the heart |
| 惭愧 | cánkuì | be ashamed; feel ashamed |
| 连夜 | liányè | that very night |
| 西 | xī | west; to the west of |

# 50

## 急 性 子
### Jíxìngzi

王 蓝田是个远近闻名的急性子。
Wáng Lántián shì ge yuǎnjìn wénmíng de jíxìngzi.

有一次，他老婆给他煮了几个鸡蛋。鸡蛋一 端上
Yǒu yī cì, tā lǎopo gěi tā zhǔle jíge jīdàn. Jīdàn yī duānshang

饭桌，他就用筷子去夹。急性子夹囫囵蛋，越急越
fànzhuō, tā jiù yòng kuàizi qù jiā. Jíxìngzi jiā húlún dàn, yuè jí yuè

夹不住。王 蓝田 真急了，抓起鸡蛋就扔在地下，可是
jiābuzhù. Wáng Lántián zhēn jíle, zhuāqǐ jīdàn jiù rēngzài dìxia, kězhǐ

没有砸碎。鸡蛋摇头晃脑地在凳子底下直转 游。这可
méi yǒu zásuì. Jīdàn yáo tóu huàng nǎode zài dèngzi dǐxià zhí zhuànyou. Zhè kě

把王 蓝田气着了,他追上去 用 脚踩，踩了几下，也没
bǎ Wáng Lántián qìzháole, tā zhuīshangqu yòng jiǎo cǎi, cǎile jíxià, yě méi

踩着那只故意跟他捣乱的鸡蛋。王 蓝田气得 眼睛 冒
cǎizháo nèizhī gùyì gēn tā dǎo luàn de jīdàn. Wáng Lántián qìde yǎnjing mào

金星，脑袋出 虚汗，一弯腰把鸡蛋抓了 起来，连土
jīnxing, nǎodai chū xūhàn, yī wān yāo bǎ jīdàn zhuāle qǐlai, lián tǔ

带皮塞进嘴里，恶狠狠地嚼了几口，然后 气冲冲地 又
dài pí sāijìn zuǐli, èhěnhěnde jiáole jíkǒu, ránhòu qìchōngchōngde yòu

把它吐了，说：
bǎ tā tǔle, shuō:

---

据《世说新语》改写。南朝宋刘义庆（公元403—444年）撰，主要记载
晋朝（公元265—420年）士大夫的言谈、轶事。

"看你还敢不敢跟我捣乱！"
"Kàn nǐ hái gǎn bu gǎn gēn wǒ dǎoluàn!"

| 急性子 | jíxìngzi | an impetuous person; of impatient disposition |
| 王蓝田 | Wáng Lántián | *name of a person* |
| 远近闻名 | yuǎn jìn wén míng | be known far and wide |
| 老婆 | lǎopo | wife |
| 煮 | zhǔ | boil |
| 鸡蛋 | jīdàn | egg |
| 端 | duān | carry; hold sth. level with both hands |
| 饭桌 | fànzhuō | dining table |
| 筷子 | kuàizi | chopsticks |
| 夹【夾】 | jiā | pick up (food with chopsticks) |
| 囫囵 | húlún | whole |
| 越…越… | yuè...yué | the more . . . the more . . . |
| 急 | jí | impatient; irritated; annoyed |
| 砸 | zá | crack; smash |
| 碎 | suì | broken |
| 摇头晃脑 | yáo tóu huàng nǎo | wag one's head |

203

| | | |
|---|---|---|
| 凳子 | dèngzi | stool |
| 底下 | dǐxià | under |
| 直 | zhí | continuously |
| 转游 | zhuànyou | roll; move from side to side |
| 气着（了） | qìzháo (le) | be enraged |
| 追 | zhuī | chase; run after |
| 脚 | jiǎo | foot |
| 踩 | cǎi | trample; step on |
| 故意 | gùyì | intentionally |
| 捣乱【亂】 | dǎo luàn | make trouble |
| 冒金星 | mào jīnxīng | give out sparks; feel dizzy |
| 出虚汗 | chū xūhàn | abnormal sweating |
| 弯【彎】腰 | wānyāo | bend over |
| 连…带… | lián...dài... | as well as; and |
| 土 | tǔ | soil; earth |
| 皮 | pí | shell |
| 塞 | sāi | squeeze in; fill in |
| 嘴 | zuǐ | mouth |
| 恶狠狠 | èhěnhěn | ferociously |
| 嚼 | jiáo | chew; masticate |
| 口 | kǒu | *m.w.* mouthful; bite |
| 气冲冲 | qìchōngchōng | furious |
| 吐 | tǔ | spit out |

# 51

## 草　字
### Cǎozì

宋朝　有个宰相喜欢写草字，　每当写到得意时，　就
Sòngcháo yǒu ge zǎixiàng xǐhuan xiě cǎozì,　měi dāng xiědào déyì shí,　jiù

龙飞凤舞随便瞎写。有一天,他把手稿交给他的侄子
lóng fēi fèng wǔ suíbiàn xiā xiě.　Yǒu yī tiān, tā bǎ shǒugǎo jiāogěi tāde　zhízi

去誊写。他侄子细细地认了一遍,有许多草字不认得,就
qù téngxiě.　Tā zhízi xìxìde rènle yībiàn, yǒu xǔduō cǎozì bú rènde,　jiù

来问他。宰相拿着自己的手稿，横看竖看,看了半天,
lái wèn tā.　Zǎixiàng názhe zìjǐde shǒugǎo, héng kàn shù kàn, kànle bàntiān,

也认不出来。他气呼呼地对侄子说：
yě rènbuchūlai.　Tā qìhūhūde duì zhízi shuō:

"你早干什么来着？现在，连我自己也不认得了！"
"Nǐ zǎo gàn shénme láizhe? Xiànzài, lián wǒ zìjǐ yě bú rènde le!"

| 草字 | cǎozì | rapid-hand character; "Grass-text" character |
| 宋朝 | Sòngcháo | Song dynasty |
| 宰相 | zǎixiàng | prime minister |
| 得意 | déyì | pleased with oneself |
| 龙【龍】飞 凤【鳳】舞 | lóng fēi fèng wǔ | like dragons flying and phoenixes dancing |

据《笑赞》改写。《笑赞》是明朝赵南星（公元1550—1627年）撰写的寓言和讽刺故事集。

| 随便 | suíbiàn | carelessly; wantonly |
|------|---------|----------------------|
| 瞎写 | xiā xiě | write at random; write irresponsibly |
| 手稿 | shǒugǎo | holograph manuscript |
| 交 | jiāo | hand over; deliver |
| 侄子 | zhízi | brother's son; nephew |
| 眷【謄】写 | téngxiě | copy out |
| 细细（地） | xìxì (de) | carefully; attentively |
| 认【認】 | rèn | make out; identify |
| 遍 | biàn | *verbal m.w.* once from the beginning to the end; all over |
| 认得 | rènde | recognize |
| 横…竖… | héng....shù... | this way and that way; vertically and horizontally |
| 半天 | bàntiān | quite a while |
| 气呼呼（地） | qìhūhū (de) | panting with rage |
| …来着 | ...láizhe | *a colloquial particle of near past* |
| 连…也… | lián...yě... | even |

# 52

## 望 天
### Wàng tiān

张 三在大街上走， 见一个人 靠着 墙， 歪着 脖子，
Zhāng Sān zài dàjiēshang zǒu, jiàn yīge rén kàozhe qiáng, wāizhe bózi,

好象 在 观察 天上的 什么东西。张 三停下来，也歪着
hǎoxiàng zài guānchá tiānshangde shénme dōngxi. Zhāng Sān tíngxiàlai, yě wāizhe

脖子，眯着眼， 朝 同一个 方向观察起来。李四走过， 见
bózi, mīzhe yǎn, cháo tóng yīge fāngxiàng guāncháqǐlai. Lǐ Sì zǒuguò, jiàn

两个人都歪着脖子朝 上 看， 李四很好奇， 以为 空中
liǎngge rén dōu wāizhe bózi cháoshàng kàn, Lǐ Sì hěn hàoqí, yǐwéi kōngzhōng

出现了什么怪物，立刻站住， 也歪着脖子望起来。王 五
chūxiànle shénme guàiwù, lìkè zhànzhu, yě wāizhe bózi wàngqǐlai. Wáng Wǔ

走过，见有这等希奇事，当然 不肯错过机会， 仰着头，
zǒuguò, jiàn yǒu zhèděng xīqí shì, dāngrán bù kěn cuòguò jīhuì, yǎngzhe tóu,

据民间传说。

踮着 脚， 瞪大了 双 眼 向 空中 搜索。赵 六走过，也
diǎnzhe jiǎo, dèngdàle shuāng yǎn xiàng kōngzhōng sōusuǒ. Zhào Liù zǒuguò, yě

加入了 这个 搜索 空中 目标的队伍。人越聚越多，但谁
jiārùle zhèige sōusuǒ kōngzhōng mùbiāo de duìwu. Rén yuè jù yuè duō, dàn shéi

也没发现 空中 有 什么新鲜东西。于是， 后到的问先
yě méi fāxiàn kōngzhōng yǒu shénme xīnxiān dōngxi. Yúshì, hòu dào de wèn xiān

来的： "老兄， 你们刚才在看什么呀？" 一直问到 张
lái de: "Lǎoxiōng, nǐmen gāngcái zài kàn shénme ya?" Yīzhí wèndào Zhāng

三和李四。张 三 转过 头去 正要问那位 靠墙 站着的
Sān hé Lǐ Sì. Zhāng Sān zhuǎnguò tóu qu zhèng yào wèn nèiwèi kào qiáng zhànzhe de

人，一看， 那个人还在那里一动 不动地歪着 脖子 站着
rén, yī kàn, nèige rén hái zài nàli yī dòng bú dòngde wāizhe bózi zhànzhe

呢。"原来 碰上了个歪脖子！" 张 三心里明白了，嘴里
ne. "Yuánlái pèngshangle ge wāi bózi!" Zhāng Sān xīnli míngbaile, zuǐli

却什么也没有 说， 悄悄地挤出人群， 走了。
què shénme yě méiyǒu shuō, qiāoqiāode jíchū rénqún, zǒule.

| 望 | wàng | look into the distance |
| 天 | tiān | sky |
| 张三 | Zhāng Sān | *a name given at random* |
| 靠 | kào | lean against |
| 歪 | wāi | askew; inclined; slanting; tilted to one side |
| 脖子 | bózi | neck |
| 好象 | hǎoxiàng | as if; as though |
| 停下来 | tíngxiàlai | stop |
| 眯眼 | mī yǎn | narrow one's eyes |
| 朝 | cháo | toward |
| 同一个 | tóng yīge | the same |
| 方向 | fāngxiàng | direction |
| 李四 | Lǐ Sì | *a name given at random* |

208

| | | |
|---|---|---|
| 朝上 | cháoshàng | upward |
| 好奇 | hàoqí | be curious |
| 空中 | kōngzhōng | in the air |
| 出现 | chūxiàn | appear |
| 怪物 | guàiwù | monster |
| 站住 | zhànzhu | stop; halt |
| 王五 | Wáng Wǔ | *a name given at random* |
| 这等 | zhèděng | such; that |
| 希奇事 | xīqí shì | strange thing; curious matter; rare phenomenon |
| 错过机会 | cuòguò jīhuì | miss an opportunity |
| 仰头 | yǎng tóu | hold up one's head; chin up |
| 踮脚 | diǎn jiǎo | stand on tiptoe |
| 瞪 | dèng | open (one's eyes) wide |
| 双眼 | shuāng yǎn | both eyes |
| 搜索 | sōusuǒ | search for; scouting |
| 加入 | jiārù | join; take part in |
| 目标 | mùbiāo | target; objective |
| 队【隊】伍 | duìwu | ranks; troops |
| 越…越… | yuè…yuè… | the more . . . the more . . . |
| 聚 | jù | gather |
| 新鲜 | xīnxiān | fresh; novel; strange |
| 后到 | hòu dào | come late; latecomer |
| 先来 | xiān lái | come early; old-timer |
| 老兄 | lǎoxiōng | old chap; brother; man |
| 一直 | yīzhí | right up to |
| 转【轉】过去 | zhuǎnguòqu | turn round |
| 一动不动 | yī dòng bú dòng | be perfectly still; not move an inch |
| 原来 | yuánlái | so; it turned out that |
| 什么也没说 | shénme yě méi shuō | said nothing |
| 悄悄 | qiāoqiāo | quietly |

# 53

## 该死的河阳猪
### Gāisǐde Héyáng zhū

苏东坡爱吃猪肉。他住在岐山时，听说河阳县的
Sū Dōngpō ài chī zhūròu.　Tā zhùzài Qíshān shí,　tīngshuō Héyáng xiànde

猪肉味道特别好，就派人到河阳县去买猪。派去买
zhūròu wèidao tèbié hǎo,　jiù pài rén dào Héyáng xiàn qù mǎi zhū.　Pài qù mǎi

猪的是个酒鬼。他买好了猪往回赶，快到岐山时，
zhū de shì ge jiǔguǐ.　Tā mǎihǎole zhū wǎnghuí gǎn, kuài dào Qíshān shí,

酒瘾大发，就在路旁一个小酒馆里大喝起来，直喝到
jiǔyǐn dà fā,　jiù zài lùpáng yīge xiǎo jiǔguǎnli dà hēqǐlai,　zhí hēdào

酩酊大醉，人事不省，结果，买来的几口河阳猪都
mǐngdǐng dà zuì,　rénshì bù xǐng,　jiéguǒ,　mǎilái de jǐkǒu Héyáng zhū dōu

逃跑了。买猪的不敢空手回去，只好自掏腰包，在岐山
táopǎole.　Mǎi zhū de bù gǎn kōngshǒu huíqu,　zhǐhǎo zì tāo yāobāo, zài Qíshān

附近胡乱买了几口猪，就回去报帐了。
fùjìn　húluàn mǎile jǐkǒu zhū,　jiù huíqu bàozhàng le.

苏东坡毫不怀疑那几口猪是专门从河阳赶回来
Sū Dōngpō háobù　huáiyí nèi jǐkǒu zhū shì zhuānmén cóng Héyáng　gǎnhuílai

的。他发了许多请帖，请客人来共尝河阳猪肉。苏东坡
de.　Tā fāle xǔduō qǐngtiě, qǐng kèren lái gòng cháng Héyáng zhūròu.　Sū Dōngpō

是一代名流，他说河阳猪肉好吃，那当然没错。客人们
shì yīdài míngliú, tā shuō Héyáng zhūròu hǎochī,　nà dāngrán méi cuò.　Kèrenmen

据《贤弈编》改写。《贤弈编》为明朝（公元1368—1644年）刘元卿著。

210

一边大嚼，一边赞不绝口，人人都 说在岐山住了这么
yībiān dà jiáo， yībiān zàn bù jué kǒu， rénrén dōu shuō zài Qíshān zhùle zènme

多年，还从来没 吃过 这么 好吃的 猪肉，河阳 猪肉
duō nián， hái cónglái méi chīguo zènme hǎochīde zhūròu， Héyáng zhūròu

就是 别有风味，等等，等等。
jiùshi bié yǒu fēngwèi， děngděng， děngděng.

忽然，有人进来报告 说，门外 有几个老百姓要 见苏
Hūrán， yòu rén jìnlai bàogào shuō， ménwài yòu jǐge lǎobǎixìng yào jiàn Sū

东坡。苏东坡 叫人把他们 带进来见他。老百姓见了苏
Dōngpō. Sū Dōngpō jiào rén bǎ tāmen dàijìnlai jiàn tā. Lǎobǎixìng jiànle Sū

东坡，如此这般地 一说，客人们 都 明白过来了，原来
Dōngpō， rúcǐ zhèbānde yī shuō， kèrenmen dōu míngbaiguòlaile， yuánlái

他们刚才吃的 并不是 河阳 猪肉。苏东坡 专门 派人去
tāmen gāngcái chī de bìng bú shì Héyáng zhūròu. Sū Dōngpō zhuānmén pài rén qù

买来的那几口河阳肥猪，让 这几位 老乡 找着了，现 正
mǎilái de nèi jǐkǒu Héyáng féizhū， ràng zhè jǐwèi lǎoxiāng zhǎozháole, xiàn zhèng

在门外 等候处置呢!
zài ménwài děnghòu chǔzhì ne!

客人们 觉得 脸上 发烧，一个个溜走了。
Kèrenmen juéde liǎnshang fā shāo， yīgege liūzǒule.

| 该死的 | gāisǐde | damned; wretched |
| 河阳（县） | Héyáng (xiàn) | Heyang (county) |
| 猪肉 | zhūròu | pork |
| 岐山 | Qíshān | *name of a county* |
| 味道 | wèidao | taste |
| 酒鬼 | jiǔguǐ | drunkard |
| 往回赶 | wǎnghuí gǎn | drive back |
| 发酒瘾【癮】 | fā jiǔyǐn | have an urge to drink |
| 酒馆 | jiǔguǎn | wineshop |

| | | |
|---|---|---|
| 酩酊大醉 | mǐngdǐng dà zuì | be dead drunk |
| 不省人事 | bù xǐng rénshì | be unconscious |
| 口 | kǒu | *m.w. for pig* |
| 空手 | kōngshǒu | empty-handed |
| 只好 | zhǐhǎo | could only |
| 自掏腰包 | zì tāo yāobāo | pay out of one's own pocket |
| 胡乱【亂】 | húluàn | casually; at random |
| 报【報】帐 | bàozhàng | submit an account; render an account |
| 毫不怀【懷】疑 | háobù huáiyí | not suspect in the least |
| 专【專】门 | zhuānmén | specially; for a particular purpose |
| 发【發】请帖 | fā qǐngtiě | send out invitations |
| 共尝【嚐】 | gòng cháng | have a taste together |
| 一代名流 | yīdài míngliú | distinguished personage of the time |
| 好吃 | hǎochī | delicious |
| 大嚼 | dà jiáo | eat extravagantly |
| 赞不绝口 | zàn bù jué kǒu | be profuse in praise |
| 人人 | rénrén | everybody |
| 就是 | jiùshi | exactly; precisely |
| 别有风味 | bié yǒu fēngwèi | have a distinctive flavour |
| 等等 | děngděng | etc.; and so on, and so forth |
| 报告 | bàogào | report; make known |
| 如此这般 | rúcǐ zhèbān | so and so |
| 肥 | féi | fat |
| 老乡【鄉】 | lǎoxiāng | fellow-villager |
| 等候 | děnghòu | wait |
| 处【處】置 | chǔzhì | punishment; handle; dispose of |
| 脸【臉】 | liǎn | face |
| 发烧【發燒】 | fā shāo | have a fever; burn |
| 溜走 | liūzǒu | slip away; sneak off |

# 54

## 崇 拜 者 的 兴 趣
### Chóngbàizhěde xìngqù

苏 东坡 爱吃 猪肉， 这已经 是 妇孺皆知 的 了。 他 最爱
Sū Dōngpō ài chī zhūròu, zhè yǐjing shì fù rú jiē zhī de le. Tā zuì ài

吃 的一种 红烧肉 也 因此 出了名，饭馆里都 叫"东坡肉"。
chī de yìzhǒng hóngshāoròu yě yīncǐ chūle míng, fànguǎnli dōu jiào "Dōngpōròu".

苏东坡 出 名 倒不是 因为 他 发明了 "东坡肉"。 谁不
Sū Dōngpō chū míng dào bú shì yīnwèi tā fāmíng le "Dōngpōròu". Shéi bù

知道他是个了不起的文学家。无论是诗， 是散文， 还是
zhīdao tā shì ge liǎobuqǐde wénxuéjiā. Wúlùn shì shī, shì sǎnwén, háishi

书法艺术， 他都是 首屈一指， 值得敬仰 的。
shūfǎ yìshù, tā dōu shì shǒu qū yī zhí, zhídé jìngyǎng de.

有个自以为 风雅的人， 到处 标榜自已是苏 东坡的
Yǒu ge zì yǐwéi fēngyǎde rén, dàochù biāobǎng zìjǐ shì Sū Dōngpōde

崇拜者， 追随者， 学生。 别人问他：
chóngbàizhě, zhuīsuízhě, xuésheng. Biéren wèn tā:

"你是 崇拜 苏东坡的诗、 散文， 还是崇拜他的书法
"Nǐ shì chóngbài Sū Dōngpōde shī, sǎnwén, háishi chóngbài tāde shūfǎ

呢？ "
ne?"

这个人回答说：
zhèige rén huídá shuō:

---

据《雅谑》改写。《雅谑》笑话寓言集的作者是明朝冯梦龙（公元1574—
1646年）。

213

"这些我都不欣赏，我欣赏的是东坡肉。"
"Zhèixiē wǒ dōu bù xīnshǎng,  wǒ xīnshǎng de shì Dōngpōròu."

| 崇拜者 | chóngbàizhě | admirer; adorer |
| 兴趣 | xìngqù | interest |
| 妇【婦】孺皆知 | fù rú jiē zhī | (well-)known even among women and children |
| 红烧肉 | hóngshāoròu | pork stewed in soy sauce |
| 因此 | yīncǐ | owing to this; because of this |
| 出名 | chū míng | become famous; famous |
| 饭馆 | fànguǎn | restaurant |
| 倒 | dào | but; but actually |
| 发明 | fāmíng | invent; invention |
| 了不起 | liǎobuqǐ | amazing; extraordinary |
| 无【無】论 | wúlùn | no matter what; no matter how |
| 诗 | shī | poetry; poem |
| 散文 | sǎnwén | prose |
| 书法 | shūfǎ | calligraphy |
| 艺术 | yìshù | arts |
| 首屈一指 | shǒu qū yī zhǐ | be second to none |
| 值得 | zhídé | worth |

| | | |
|---|---|---|
| 敬仰 | jìngyǎng | revere; venerate |
| 自以为 | zì yǐwéi | consider oneself; regard oneself |
| 风雅 | fēngyǎ | elegant; refined |
| 到处 | dàochù | everywhere |
| 标榜 | biāobǎng | advertise; flaunt |
| 追随者 | zhuīsuízhě | follower |
| 欣赏 | xīnshǎng | admire; appreciate |

# 55

## 大官和老和尚
### Dà guān hé lǎo héshang

有个大官，忽然想到西山上的寺院去玩儿玩儿。
Yǒu ge dà guān,　hūrén xiǎng dào Xīshānshangde sìyuàn qù 　　wánrwanr.

他的手下人三天之前就通知寺院里的和尚备饭，准备
Tāde 　shǒuxiàrén sān tiān zhīqián jiù tōngzhī 　sìyuànlide 　héshang bèi fàn, 　zhǔnbèi

接待贵客。全寺的和尚顿时忙碌起来。
jiēdài 　guìkè. 　Quán 　sìde héshang dùnshí mánglùqilai.

深山里的寺院要为大官准备一顿象样的饭，实在是
Shēnshānlide 　sìyuàn yào wèi dà guān zhǔnbèi yīdùn xiàngyàngde fàn, 　shízài shi

不容易。自从接到通知，和尚们啥事不干，整天就忙着
bù róngyì. 　Zìcóng jiēdào tōngzhī, héshangmen shá shì bú gàn, zhěngtiān jiù mángzhe

打扫卫生，准备饭菜。
dǎsǎo wèishēng, 　zhǔnbèi fàn cài.

大官带着大队人马来了。这座寺院他从前没有来过。
Dà guān dàizhe dàduì rénmǎ láile. 　Zhèizuò sìyuàn tā cóngqián méi yǒu láiguo.

茂密的竹林，清澈的山溪，确实是游玩的好地方。大
Màomìde zhúlín, 　qīngchède shānxī, 　quèshí shì yóuwán de hǎo dìfang. 　Dà

官痛痛快快地玩儿了半天。他拉着老和尚的手，望着
guān tòngtòng kuàikuàide wánrle 　bàntiān. 　Tā lāzhe lǎo héshangde shǒu, wàngzhe

青山翠竹，不觉吟起唐人的诗句来：因过竹院逢僧
qīngshān cuìzhú, 　bùjué 　yínqǐ Tángrénde shījù lai: 　Yīn guò zhú yuàn féng sēng

---

据《谭概》改写。《谭概》是明朝冯梦龙编的又一本笑话、寓言集。

话，又得浮生半日闲。
huà,　yòu dé fúshēng bànrì xián.

老和尚听罢诗句，忍不住笑了起来。
Lǎo héshang tīngbà shījù,　　rěnbuzhù xiàole qǐlai.

大官问他："你笑什么？"
Dà guān wèn tā:　　"Ní xiào shénme?"

老和尚说：
Lǎo héshang shuō:

"您老人家固然清闲了半日，我这老和尚可 整整
"Nín lǎorénjia gùrán qīngxiánle bànrì,　wǒ zhè lǎo héshang kě zhěngzhěng

忙了三天了！"
mángle sān tiān le!"

| 大官 | dà guān | high official |
| 和尚 | héshang | Buddhist monk |
| 西山 | Xīshān | Western Mountain |
| 寺院 | sìyuàn [座 zuò] | monastery; temple |
| 玩儿 | wánr | amuse oneself; enjoy oneself; play |
| 手下人 | shǒuxiàrén | those who work under him |
| 通知 | tōngzhī | notify; inform |
| 备【備】饭 | bèi fàn | prepare a meal |
| 接待 | jiēdài | receive |
| 贵客 | guìkè | distinguished guest |

217

| 寺 | sì | temple |
|---|---|---|
| 顿时 | dùnshí | at once |
| 忙碌 | mánglù | bustle about; be busy |
| 深山 | shēnshān | remote mountains |
| 顿 | dùn | *m.w. for meals* |
| 像样的 | xiàngyàngde | decent; presentable |
| 实在 | shízài | really; indeed |
| 自从 | zìcóng | since; from |
| 接到 | jiēdào | receive; accept |
| 啥事不干 | shá shì bú gàn | doing nothing |
| 整天 | zhěngtiān | all day long |
| 忙着 | mángzhe | be in a hurry; fully occupied |
| 打扫【掃】 | dǎsǎo | sweep; clean |
| 卫【衛】生 | wèishēng | hygiene; sanitation |
| 大队人马 | dàduì rénmǎ | a large contingent of troops; a large body of followers |
| 从前 | cóngqián | in the past; formerly |
| 茂密 | màomì | dense; thick |
| 竹林 | zhúlín | bamboo forest |
| 清澈 | qīngchè | limpid; clear |
| 山溪 | shānxī | mountain stream |
| 确【確】实 | quèshí | indeed; actually |
| 游玩 | yóuwán | sight-seeing; stroll; amuse oneself |
| 痛快 | tòngkuai | to one's heart's content; to one's great satisfaction; joyful; happy |
| 青山 | qīngshān | green hill |
| 翠竹 | cuìzhú | green bamboos |
| 不觉 | bùjué | involuntarily; can't help |
| 吟 | yín | chant; rectie |
| 诗句 | shījù | verse; line |
| 逢 | féng | meet; come upon |
| 僧 | sēng | monk |

| 浮生 | fúshēng | floating life; short life |
| 闲 | xián | leisure |
| 听罢 | tīngbà | hearing (this); after hearing |
| 忍不住 | rěnbuzhù | cannot help (doing sth.); unable to bear |
| 老人家 | lǎorénjia | a respectful form of address for an old person |
| 固然 | gùrán | it is true; no doubt |
| 清闲 | qīngxián | at leisure; idle |
| 整整 | zhěngzhěng | whole; full; fully |

# 56

## 字 长 个 儿 了
### Zì zhǎng gèr le

父亲教儿子认字。父亲用笔在纸上写个 "一" 字让
Fùqin jiāo érzi rèn zì.　Fùqin yòng bǐ zài zhǐshang xiě ge　"yī"　zì ràng

儿子认，儿子马上记住了。
érzi rèn,　érzi mǎshàng jìzhùle.

第二天吃饭的时候，父亲想考考儿子，用手指头
Dì'èr tiān chī fàn de shíhou,　fùqin xiǎng kǎokǎo érzi,　yòng shǒuzhítou

蘸了酒，在桌子上写个 "一" 字让儿子认。儿子看了
zhànle jiǔ,　zài zhuōzishang xiě ge　"yī"　zì ràng érzi rèn.　Erzi kànle

一会儿，说 "不认得"。父亲很生气，说：
yìhuìr,　shuō "bú rènde".　Fùqin hěn shēngqì,　shuō:

"小傻瓜！这不是昨天教你的 '一' 字吗！怎么就不
"Xiǎo shǎguā! Zhè bú shì zuótiān jiāo nǐ de 'yī' zì ma! Zěnme jiù bú

据明朝冯梦龙编的《笑府》改写。

220

认得了？"
rènde le?"

儿子惊奇地睁大眼睛，说：
Erzi　　jīngqíde zhēngdà yǎnjing,　shuō:

"没想到过了一夜，它就长得这么大了！"
"Méi xiǎngdào guòle yī yè,　　tā jiù zhǎngde zènme dà le!"

| | | |
|---|---|---|
| 长个儿 | zhǎng gèr | grow up; grow in length; grow taller |
| 教 | jiāo | teach |
| 认字 | rèn zì | learn how to read |
| 笔 | bǐ | writing brush; pen |
| 纸 | zhǐ | paper |
| 马上 | mǎshàng | at once |
| 记住 | jìzhù | remember; learn by heart |
| 考 | kǎo | quiz; test |
| 手指头 | shǒuzhítou | finger |
| 蘸 | zhàn | dip in |
| 生气 | shēngqì | get angry |
| 傻瓜 | shǎguā | fool |
| 惊奇 | jīngqí | surprise |
| 睁 | zhēng | open (one's eyes) |
| 长 | zhǎng | to grow |

# LANGUAGE NOTES I

## On Chinese Surnames

The number of characters actually in use as Chinese surnames is between four and five hundred. The famous BAI JIA XING (THE HUNDRED SURNAMES) included, in fact, not one hundred, but several hundred surnames most frequently used at that time. Still, they could not contain all the surnames with which we might come into contact, especially those originated in the surname of the national minorities, and the "home-made" surnames.

A Chinese surname is usually consisted of one character, rarely, of two characters, known as fùxìng (two-character surname). Characters used as surnames are usually read in their original pronunciation, but it should be pointed out that there are some important exceptions:

1. Some characters used as surnames are pronounced in tones different from their original ones, e.g. 华 huá: as a surname, — huà; 任 rèn: as a surname, — rén; 纪 jì: as a surname, — jǐ, etc.

2. Some characters used as surnames are pronounced quite differently from their original ones, e.g. 单 dān: as a surname, — shàn; 解 jiě: as a surname, — xiè; 查 chá: as a surname, —zhā; 种 zhǒng or zhòng: as a surname, —chóng; 区 qū: as a surname, — oū; 仇 chóu: as a surname, — qiú, etc.

3. Some characters used as surnames are pronounced in two different ways according to the family habit, e.g. 覃 qín or tán; 乐 yuè or lè.

4. Some characters are pronounced differently in surnames, two-character surnames and names, e.g. 尉 wèi, as a surname; yù in two-character surname 尉迟 yùchí. 员 yuán: as a surname, it is pronounced as yùn; and as a name, yún.

222

5. Some characters are usually pronounced in two ways, e.g. 盛 chéng and shèng; 沈 chén and shěn, etc. But as surnames, they have only one pronunciation: 盛 shèng and 沈 shěn.

Some characters are used only as surnames, e.g. 晁 (cháo).

Following is the newly compiled BAI JIA XING (THE HUNDRED SURNAMES) with 107 surnames most frequently used in modern Chinese, five of which are two-character surnames:

| | | | | | |
|---|---|---|---|---|---|
| **A** | 艾 | Ai | | 郭 | Guō |
| | 安 | An | **H** | 郝 | Hǎo |
| **B** | 白 | Bái | | 何 | Hé |
| | 包 | Bāo | | 贺 | Hè |
| | 毕【畢】 | Bì | | 洪 | Hóng |
| | 薄 | Bó | | 侯 | Hóu |
| | 卜 | Bǔ | | 胡 | Hú |
| **C** | 蔡 | Cài | | 华【華】 | Huà |
| | 曹 | Cáo | | 黄 | Huáng |
| | 柴 | Chái | | 霍 | Huò |
| | 常 | Cháng | **J** | 季 | Jì |
| | 陈【陳】 | Chén | | 贾 | Jiǎ |
| | 程 | Chéng | | 蒋 | Jiǎng |
| **D** | 戴 | Dài | | 金 | Jīn |
| | 邓【鄧】 | Dèng | **K** | 康 | Kāng |
| | 丁 | Dīng | | 孔 | Kǒng |
| | 董 | Dǒng | | 邝【鄺】 | Kuàng |
| | 杜 | Dù | **L** | 黎 | Lí |
| **F** | 方 | Fāng | | 李 | Lǐ |
| | 费 | Fèi | | 林 | Lín |
| | 傅 | Fù | | 刘【劉】 | Liú |
| **G** | 高 | Gāo | | 柳 | Liǔ |
| | 龚【龔】 | Gōng | | 龙【龍】 | Lóng |
| | 顾【顧】 | Gù | | 鲁【魯】 | Lǔ |

| | | | | | | |
|---|---|---|---|---|---|---|
| | 鹿 | Lù | | | 孙【孫】 | Sūn |
| | 路 | Lù | **T** | 谭 | Tán |
| | 罗【羅】 | Luó | | 唐 | Táng |
| **M** | 马【馬】 | Mǎ | | 童 | Tóng |
| | 毛 | Máo | **W** | 汪 | Wāng |
| | 孟 | Mèng | | 王 | Wáng |
| | 米 | Mǐ | | 魏 | Wèi |
| | 莫 | Mò | | 翁 | Wēng |
| | 穆 | Mù | | 吴 | Wú |
| **N** | 聂【聶】 | Niè | **X** | 解 | Xiè |
| **O** | 区【區】 | Oū | | 熊 | Xióng |
| **P** | 潘 | Pān | **Y** | 杨【楊】 | Yáng |
| | 庞【龐】 | Páng | | 姚 | Yáo |
| | 彭 | Péng | | 叶【葉】 | Yè |
| | 裴 | Péi | | 于 | Yú |
| **Q** | 戚 | Qī | | 余 | Yú |
| | 齐【齊】 | Qí | **Z** | 曾 | Zēng |
| | 钱【錢】 | Qián | | 张【張】 | Zhāng |
| | 乔【喬】 | Qiáo | | 赵【趙】 | Zhào |
| | 邱 | Qiū | | 钟【鍾】 | Zhōng |
| | 仇 | Qiú | | 周 | Zhōu |
| | 瞿 | Qú | | 朱 | Zhū |
| **R** | 任 | Rén | | 宗 | Zōng |
| | 荣【榮】 | Róng | | | |
| **S** | 单【單】 | Shàn | | | |

**复姓** Fùxìng
Two-character Surnames:

| | |
|---|---|
| 皇甫 | Huángfǔ |
| 欧阳【歐陽】 | Oūyáng |
| 司马 | Sīmǎ |
| 诸葛 | Zhūgé |
| 上官 | Shàngguān |

| | | |
|---|---|---|
| 邵 | Shào |
| 石 | Shí |
| 时【時】 | Shí |
| 史 | Shǐ |
| 宋 | Sòng |
| 苏【蘇】 | Sū |

# A New Song of the Hundred Surnames

| 赵 | 钱 | 孙 | 李， | 何 | 卜 | 咸 | 孔， |
|---|---|---|---|---|---|---|---|
| Zhào | qián | sūn | lǐ | hé | bǔ | qī | kǒng, |
| 周 | 吴 | 程 | 王， | 时 | 丁 | 齐 | 龚。 |
| zhōu | wú | chéng | wáng | shí | dīng | qí | gōng. |

| 杨 | 陈 | 朱 | 魏， | 包 | 曹 | 常 | 洪， |
|---|---|---|---|---|---|---|---|
| Yáng | chén | zhū | wèi | bāo | cáo | cháng | hóng, |
| 贾 | 金 | 叶 | 费， | 莫 | 谭 | 傅 | 翁。 |
| jiǎ | jīn | yè | fèi | mò | tán | fù | wēng. |

| 林 | 邝 | 路 | 高， | 瞿 | 邱 | 鹿 | 熊， |
|---|---|---|---|---|---|---|---|
| Lín | kuàng | lù | gāo | qú | qiū | lù | xióng, |
| 杜 | 柳 | 乔 | 穆， | 毕 | 解 | 彭 | 宋。 |
| dù | liǔ | qiáo | mù | bì | xiè | péng | sòng. |

| 侯 | 蔡 | 薄 | 季， | 华 | 单 | 任 | 宗， |
|---|---|---|---|---|---|---|---|
| Hóu | cài | bó | jì | huà | shàn | rén | zōng, |
| 汪 | 顾 | 毛 | 鲁， | 聂 | 区 | 史 | 童。 |
| wāng | gù | máo | lǔ | niè | ōu | shǐ | tóng. |

| 张 | 郭 | 罗 | 戴， | 唐 | 安 | 仇 | 荣， |
|---|---|---|---|---|---|---|---|
| Zhāng | guō | luó | dài | táng | ān | qiú | róng, |
| 艾 | 郝 | 霍 | 黄， | 米 | 刘 | 蒋 | 龙。 |
| ài | hǎo | huò | huáng | mǐ | liú | jiǎng | lóng. |

| 余 | 邓 | 于 | 潘， | 庞 | 贺 | 苏 | 孟， |
|---|---|---|---|---|---|---|---|
| Yú | dèng | yú | pān | páng | hè | sū | mèng, |
| 石 | 姚 | 马 | 邵， | 白 | 黎 | 康 | 董。 |
| shí | yáo | mǎ | shào | bái | lí | kāng | dǒng. |

| 皇甫 | | 司马， | | 欧阳 | | 裴 | 曾， |
|---|---|---|---|---|---|---|---|
| Huángfǔ | | sīmǎ, | | oūyáng | | péi | zēng, |
| 上官 | | 诸葛 | | 柴 | 胡 | 方 | 钟。 |
| shàngguān | | zhūgé | | chái | hú | fāng | zhōng. |

# 57

## 聪 明 的 看 守
### Cōngmingde kānshǒu

员外 种了一排小柳树， 怕被人拔去， 就雇了一个小
Yuánwài zhòngle yīpái xiǎo liǔshù,　pà bèi rén báqù,　jiù gùle yīge xiǎo-

孩儿去看守。过了十多天，员外来看新 种 的柳树，一棵
háir　qù kānshǒu. Guòle shí duō tiān, yuánwài lái kàn xīn zhòng de liǔshù,　yīkē

也不少。员外 很 高兴， 问："你看守得很好啊！ 你是
yě bù shǎo. Yuánwài hěn gāoxìng,　wèn: "Nǐ kānshǒude hěn hǎo a!　Nǐ shì

怎么守着这些柳树的？"
zěnme shǒuzhe zhèixiē liǔshù de?"

孩子见 员外 称赞 他， 非常得意， 说：
Háizi　jiàn yuánwài chēngzàn tā,　fēicháng déyì,　shuō:

"白天我在这里坐着， 当然没 有人来偷树。 晚上我
"Báitiān wǒ zài zhèlí zuòzhe,　dāngrán méi yǒu rén lái tōu shù. Wǎnshang wǒ

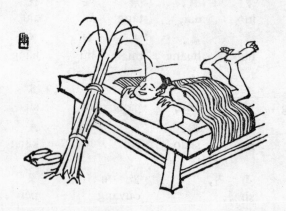

据明朝冯梦龙编的《笑府》改写。

怕人来偷，就把树都拔起来，藏在我的家里，第二天再
pà rén lái tōu, jiù bǎ shù dōu báqǐlai,　cángzài wǒde jiāli,　dì'èr tiān zài

把树 种上。所以，这一排小柳树一棵也没丢！"
bǎ shù zhòngshang. Suǒyǐ,　zhèi yīpái xiǎo liǔshù yīkē　yě méi diū!"

| 聪【聪】明 | cōngming | clever; intelligent |
| 看守 | kānshǒu | watcher |
| 员外 | yuánwài | gentry |
| 排 | pái | row |
| 柳树 | liǔshù | willow |
| 拔 | bá | pull out |
| 雇 | gù | hire; employ |
| 少 | shǎo | be missing; lose |
| 守 | shǒu | keep watch; guard |
| 称赞 | chēngzàn | praise |
| 得意 | déyì | proud of oneself |
| 白天 | báitiān | daytime |
| 藏 | cáng | hide |
| 丢 | diū | lose |

# 58

## 何必爬起来
### Hébì páqǐlai

前山 村有个王老五，懒得出奇，大家都管他叫
Qiánshān cūn yǒu ge Wáng Lǎowǔ, lǎnde chūqí, dàjiādōu guǎn tā jiào

"懒老五"。王老五从不承认自己懒，一听有人叫他
"Lǎn Lǎowǔ". Wáng Lǎowǔ cóng bù chéngrèn zìjǐ lǎn, yī tīng yǒu rén jiào tā

"懒老五"，他就瞪眼，说："谁懒了？！我只是不愿意
"Lǎn Lǎowǔ", tā jiù dèngyǎn, shuō: "Shéi lǎnle?! Wǒ zhǐshì bú yuànyi

干那种白费劲的活儿就是了。"
gàn nèizhǒng bái fèi jìn de huór jiùshìle."

有一天他出门，刚走两步就跌了一跤。他爬起来
Yǒu yī tiān tā chū mén, gāng zǒu liǎngbù jiù diēle yījiāo. Tā páqǐlai

走了几步，谁知又跌了一跤。这一回，他趴在地上不
zǒule jǐbù, shéi zhī yòu diēle yījiāo. Zhè yīhuí, tā pāzài dìshang bù

起来了。他自言自语地说："早知如此，刚才就没必要
qǐlai le. Tā zì yán zì yǔde shuō: "Zǎo zhī rúcǐ, gāngcái jiù méi bìyào

爬起来！"
páqǐlai!"

| 何必 | hébì | there is no need; why |
| 爬起来 | páqǐlai | get up (from the ground, etc.) |
| 王老五 | Wáng Lǎowǔ | *name of a person* |
| 懒 | lǎn | lazy |

---

据明朝冯梦龙编的《笑府》改写。

| 出奇 | chūqí | extraordinary |
|---|---|---|
| 管…叫… | guǎn…jiào… | call sb. . . . ; known as |
| 承认 | chéngrèn | admit |
| 瞪眼 | dèngyǎn | glower and glare at sb.; get angry with sb. |
| 愿意 | yuànyi | willing |
| 干【幹】活 | gàn huó | work; do a certain work |
| 种【種】 | zhǒng | kind; sort |
| 白费劲 | bái fèi jìn | bother for nothing; waste one's effort |
| …就是了 | . . . jiùshìle | that's all |
| 刚 | gāng | just; hardly; barely |
| 跌跤 | diē jiāo | stumble and fall |
| 这一回 | zhèi yīhuí | this time |
| 趴 | pā | lie on one's stomach |
| 自言自语 | zì yán zì yǔ | talk to oneself |
| 早知如此 | zǎo zhī rúcǐ | if I'd known this beforehand |
| 必要 | bìyào | need |

# 59

## 懒 得 动 手
### Lǎnde dòng shǒu

懒老五的媳妇是个勤快人。懒老五什么活儿都不会
Lǎn Lǎowǔde xífù shì ge qínkuài rén. Lǎn Lǎowǔ shénme huór dōu bú huì

干，家里全 靠他的这位媳妇。有一天，媳妇要回娘家。
gàn, jiāli quán kào tāde zhèiwèi xífù. Yǒu yī tiān, xífù yào huí niángjia.

她替 老五准备下几天吃的 烙饼， 几天喝的 开水， 对他
Tā tì Lǎowǔ zhǔnbèixia jǐ tiān chī de làobǐng, jǐ tiān hē de kāishuǐ, duì tā

说：
shuō:

"我回娘家， 几天就回来。这几天你也不用动手，
"Wǒ huí niángjia, jǐtiān jiù huílai. Zhè jǐ tiān nǐ yě búyòng dòngshǒu,

烙饼开水都给你准备好了， 你自己拿。"
làobǐng kāishuǐ dōu gěi nǐ zhǔnbèihǎole, nǐ zìjǐ ná."

懒老五说：
Lǎn Lǎowǔ shuō:

"我懒得到 厨房去拿，你把水罐 放在 炕上， 把烙饼
"Wǒ lǎnde dào chúfáng qù ná, nǐ bǎ shuǐguàn fàngzài kàngshang, bǎ làobǐng

替我套在脖子上吧。"
tì wǒ tàozài bózishang ba."

媳妇把水罐 放在 炕上， 把 几张 烙饼 都挖了窟窿，
Xífù bǎ shuǐguàn fàngzài kàngshang, bǎ jǐzhāng làobǐng dōu wāle kūlong,

---

据民间传说。

230

套在老五的脖子上，就走了。
tàozài　Lǎowǔde bózishang,　　　jiù zǒule.

过了几天，媳妇回来了。她进屋一看，懒老五躺在
Guòle　jǐ tiān,　　xífù　huílaile.　　Tā jìn wū yī kàn,　Lǎn Lǎowǔ tǎngzài

炕上，已经饿得奄奄一息，快咽气了。再看那些烙饼，
kàngshang, yǐjing　ède　yǎnyǎn yī xī,　kuài yànqì le. Zài kàn nèixiē　làobǐng,

贴着嘴边的咬掉了几口，余下的连动都没有动，还在
tiēzhe　zuíbiān de yǎodiàole jǐ kǒu　　yúxiàde lián dòng dōu méi yǒu dòng, hái zài

脖子上套着呢。
bózishang　tàozhe ne.

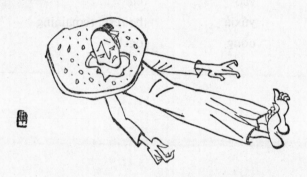

| 懒得 | lǎnde | not feel like (doing sth.); not be in the mood to do sth. |
| 动手 | dòng shǒu | move one's hand; touch; get to work |
| 媳妇 | xífù | wife |
| 勤快 | qínkuài | diligent; hardworking |
| 回娘家 | huí niángjia | a married woman goes back to her parents' home |
| 准备下 | zhǔnbèixia | have sth. prepared |
| 烙饼【餅】 | làobǐng | pancake |
| 开水 | kāishuǐ | boiled water |
| 不用 | búyòng | need not |
| 厨房 | chúfáng | kitchen |
| 水罐 | shuǐguàn | water pitcher |

| 炕 | kàng | a heatable brick bed |
| 套 | tào | put sth. (e.g. a ring, etc.) round; tie |
| 挖 | wā | scoop out; gouge out; cut out; dig |
| 窟窿 | kūlong | hole; cavity |
| 屋 | wū | room |
| 躺 | tǎng | lie |
| 饿 | è | hungry |
| 奄奄一息 | yǎn yǎn yī xī | on the verge of death |
| 咽【嚥】气 | yànqì | breathe one's last |
| 贴 | tiē | close to |
| 咬 | yǎo | bite |
| 余【餘】下 | yúxià | the rest; remaining |
| 动【動】 | dòng | touch |

# 60

## 落水的宰相
### Luò shuǐ de zǎixiàng

惠子要到 梁国去做宰相。渡河的时候，他失足落
Huìzǐ yào dào Liángguó qù zuò zǎixiàng. Dù hé de shíhou, tā shīzú luò

水，多亏船老大把他救了上来。
shuǐ, duōkuī chuánlǎodà bǎ tā jiùle shànglai.

船老大问他：
Chuánlǎodà wèn tā:

"你这么急急忙忙的，上 哪儿去呀？
"Ní zènme jíjímángmángde, shàng nǎr qù ya?"

惠子说：
Huìzǐ shuō:

"梁国 请我去当 宰相，我是赶去上任的。"
"Liángguó qíng wǒ qù dāng zǎixiàng, wǒ shì gǎnqu shàngrèn de."

船老大 说：
Chuánlǎodà shuō:

"看你掉进水里，一点办法都没有，要不是我 船老大
"Kàn ní diàojìn shuǐli, yīdiǎn bànfǎ dōu méi yǒu, yàobúshì wǒ chuánlǎodà

下水救你，你也许早就把命丢了！像你这样的人，还
xià shuǐ jiù ní, ní yěxǔ zǎo jiù bǎ mìng diūle! Xiàng ní zhèiyàngde rén, hái

配做一国的宰相吗？！"
pèi zuò yīguóde zǎixiàng ma?!"

---

据《说苑》改写。参看第39页第十篇故事的注解。

惠子说：
Huìzǐ shuō:

"游水，你比我强，但是会游水就一定能当宰相
"Yóu shuǐ, nǐ bǐ wǒ qiáng, dànshì huì yóu shuǐ jiù yīdìng néng dāng zǎixiàng

吗？我不会游水，难道就一定当不了宰相吗？"
ma? Wǒ bú huì yóu shuǐ, nándào jiù yīdìng dāngbuliǎo zǎixiàng ma?"

| | | |
|---|---|---|
| 落水 | luò shuǐ | fall into the water |
| 宰相 | zǎixiàng | prime minister |
| 惠子 | Huìzǐ | *name of a person* |
| 梁国 | Liángguó | the State of Liang |
| 做 | zuò | to be; to work as |
| 渡河 | dù hé | cross a river |
| 失足 | shīzú | slip |
| 多亏【虧】 | duōkuī | thanks to; luckily |
| 船老大 | chuánlǎodà | boatman |
| 救 | jiù | save |
| 急急忙忙 | jíjímángmáng | in a hurry |
| 上 | shàng | go to |
| 赶 | gǎn | hasten |
| 上任 | shàngrèn | assume office |
| 要不是 | yàobúshì | if it were not for; but for |
| 下水 | xià shuǐ | enter the water |
| 也许 | yěxǔ | maybe; perhaps |
| 命 | mìng | life |
| 配 | pèi | be qualified |
| 游水 | yóu shuǐ | swim |
| 难道 | nándào | really; do you think it is possible; do you think it is necessary; do you think I (you, he) should |
| 当不了 | dāngbuliǎo | cannot serve as |

# LANGUAGE NOTES  II

## Some Major Considerations in
## Transliterating Characters into Phonetic Alphabet

At the present stage we are transliterat ing Chinese characters into the phonetic alphabet in the purpose of annotating the characters phonetically a nd to popularize the Putonghua. It is not our aim and task to replace the Chinese characters right now, because it will take decades or even hundred years to accomplish, if not longer. Without popularizing first the Common Speech accepted by every Chinese from every dialectal region, it is purely fantasy to expect that people all over China including the overseas Chinese could possibly understand what you have written in alphabets, not in characters. Our final aim is to replace the characters in daily written matters (not in classical literature research) by the phonetic alphabets, but no single linguist with the knowledge of the history of Chinese written language would ever be so naive as to propose such a replacement at the present moment, or in one or two decades. We should work really hard to reach this goal, but we should have a clear mind either.

To annotate the characters with the phonetic alphabet is the first step in this long and tortuous voyage. Keeping in mind the above-mentioned final a im of our work, we have formulated the following 12 principal rules in transliterating the Chinese words, examples and texts:

Rule 1:  In principle, characters are transliterated in words. Non-words which are smaller than words are transliterated in combination with the element to which they are more closely related. Nonwords which are bigger than words are transliterated separately. (On *Words and Non-words*, see Grammatical Notes II)

235

**Rule 2:** Under the principle mentioned in Rule 1, the names and surnames are transliterated separately, e.g.

| 苏 东坡 | Sū Dōngpō |
| 王 进 | Wáng Jìn |
| 欧阳 文生 | Oūyáng Wénshēng |

**Rule 3:** Measure words are transliterated together with the preceding numerals or demonstrative pronouns, e.g.

| 四把 锁 | sìbǎ suǒ |
| 这件 事情 | zhèijiàn shìqing |
| 第一棵 | dìyīkē |
| 头一回 | tóuyīhuí |
| 来过 两次 | láiguo liǎngcì |
| 吃过 一次 烤鸭 | chīguo yīcì kǎoyā |
| 再 讲 一遍 | zài jiǎng yībiàn |

**Rule 4:** Structural particle 的 de after attributives made of nouns, pronouns or adjectives is transliterated together with the preceding attributives, e.g.

| 朋友的 表弟 | péngyoude biǎodì |
| 大家的 意见 | dàjiāde yìjian |
| 短的 文章 | duǎnde wénzhāng |

Structural particle 的 de after attributives made of single verbs *can be* transliterated together with the preceding attributives, but separately after the attributives expressed by more complicated constructions, e.g.

| 买的 人 和 卖的 人 | mǎide rén hé màide rén |
| 拿 弓箭 的 人 | ná gōngjiàn de rén |
| 他 昨天 借 的 字典 | tā zuótiān jiè de zìdiǎn |
| 胃口 好 的 顾客 | wèikǒu hǎo de gùkè |

**Rule 5:** Structural particle 地 de is always transliterated together with the preceding adverbial adjuncts, e.g.

| 好好地 在 家 看 门 | hǎohāode zài jiā kān mén |
| 气呼呼地 走了 | qìhūhūde zǒule |

Rule 6: Structural particle 得 de is always transliterated together with the preceding verbs or adjectives, e.g.

他 唱 歌儿 唱得 太 好 了。　Tā chàng gēr chàngde tài hǎo le.

汽车 开得 不 快。　Qìchē kāide bú kuài.

Rule 7: Resultative complement is transliterated together with the preceding verbs, e.g.

买着 了　　　　　　mǎizháole

用完 就 放好　　　　yòngwán jiù fànghǎo

So is the potential form of the resultative complement:

买不着　　　　　　mǎibuzháo

用不完　　　　　　yòngbuwán

拿不了　　　　　　nábuliǎo

说得清楚 说不清楚?　Shuōdeqīngchu shuōbuqīngchu?

Rule 8: Directional complement is transliterated together with the preceding verbs, but separately when an object is inserted between them, e.g.

姐姐 回来了。　　　　Jiějie huílaile.

把 伞 拿回 家 去。　　Bǎ sǎn náhuí jiā qù.

他 忽然 想起 一件事 来。　Tā hūrán xiǎngqǐ yījiàn shì lái.

So is the potential form of the directional complement:

今天 回不去 了。　　　Jīntiān huíbuqù le.

我 怎么 想 也 想不起来 了。　Wǒ zěnmexiǎng yě xiǎngbuqǐlái le.

羊 是 找不回来 了。　　Yáng shì zhǎobuhuílái le.

他 拿不出 钱 来。　　　Tā nábuchū qián lai.

没 有 件 象样的 衣服,　Méi yǒu jiàn xiàngyàngde yīfu,

　你 让 我 怎么 走得出　　nǐ ràng wǒ zěnme zǒudechū

门 去?　　　　　　　mén qù?

Rule 9: Aspect particles 了 le, 着 zhe and 过 guo are transliterated together with the preceding verbs, e.g.

买了 一把 伞　　　　mǎile yībǎ sǎn

在 椅子上 坐着　　　　zài yǐzishang zuòzhe

吃过 四川 菜　　　　chīguo Sìchuān cài

237

Rule 10: Modal particles are transliterated separately, e.g.

好 吧！                    Hǎo ba!

帽子 呢？              Màozi ne?

他 不 来 了，说 是 有 事儿。    Tā bù lái le, shuō shì yǒu shìr.

Rule 11: Monosyllabic nouns of locality (i.e. 上 shàng, 下 xià, 里 lǐ, etc.) are transliterated together with the preceding nouns or constructions, while the polysyllabic ones are transliterated separately, e.g.

屋里 坐。                   Wūli zuò.

桌子上 有 只 碗。       Zhuōzishang yǒu zhī wǎn.

里边 暖和，外边 冷。     Lǐbian nuǎnhuo, wàibian lěng.

屋子 中间的 灯 太 暗。   Wūzi zhōngjiānde dēng tài àn.

Rule 12: In principle, the reduplicated words are transliterated as single words, e.g.

人人 都 有 份。            Rénrén dōu yǒu fèn.

个个 摩拳 擦掌。        Gègè mó quán cā zhǎng.

多多 进谏               duōduō jìnjiàn

她 只 是 笑了笑，没 回答。 Tā zhǐ shì xiàolexiào, méi huídá.

讨论讨论 再 说 吧。     Tǎolùntǎolùn zài shuō ba.

高高兴兴地 走了。      Gāogāoxìngxìngde zǒule.

dropped in and these dog[...]
my guests in the leg. Is [...]
Aizi nodded and said[...]
"Well done! You v[...]

People of various dy[...]
rizing the imperious and [...]
Aizi kept two rams i[...]
approached. Aizi's disci[...]
rams, so one day they dis[...]
"Rams are fierce by n[...]
we are sure they'll be mo[...]
Aizi smiled faintly a[...]
"You're wrong. Ar[...]

Aizi was walking wi[...]
his friend took him aside [...]
the roadside, otherwise he[...]
After some time, son[...]
again led off the road by l[...]
"That is a good frier[...]
of his carriage and greet r[...]
Aizi was highly amus[...]
their stroll. It was a be[...]
his friend by the arm and [...]
"This is a relative of [...]
"A friend of mine," v[...]
Aizi's friend was su[...]
"Where on earth did [...]
Aizi replied:
"You have adopted [...]
lowly are relatives and f[...]

## 7. Jiao[...]

Jiao Qiong was very [...]
Fu. One day Tan Fu a[...]
"I have so much m[...]
"You're rich indeed[...]
should I flatter you?" [...]
"Will you flatter me[...]

# ENGLISH TRANSLATION

## 1. The Philosophy of Yang Zhu

Yang Bu was the younger brother of the famous philosopher Yang Zhu. Once Yang Bu went out dressed in white. It rained on the way and he was drenched from head to foot, so he went to a friend of his for dry clothes. The borrowed gown was black, and so the same Yang Bu who had left in a white gown returned black.

The watchdog of the Yang family did not recognize this young master in black and when Yang Bu stepped inside the gate the dog took him for a stranger and began to bark ferociously.

"Damned dog!" Yang Bu roared. "The mangy beast doesn't even recognize its own master!"

Cursing furiously, Yang Bu picked up a broom and was on the point of giving the dog a whack when his brother, the philosopher, who had been watching through a window, came running out of his study. Yang Zhu drew his brother aside and said:

"Why should you strike our dog, brother? Suppose it ran out of the house white and returned black. Would you, my dear brother, have been able to recognize it immediately?"

## 2. The Lost Sheep

A neighbor of the philosopher Yangzi (Yang Zhu) lost a sheep one day and asked Yangzi to send some of his servants to search for it. Yangzi asked in surprise:

"With so many in your family, is it possible that there are not enough to fetch back a sheep?"

"They've all gone out looking for this lost sheep," the neighbor replied. "I've even asked for help from the menfolk of my younger and elder cousins' families, but there are so many side roads that we need a lot of people to find it."

Yangzi's servants went out with the neighbor, returning after a few hours.

"You've found the lost sheep?" Yangzi asked.

"No, we haven't, but all the others came back, so we did too."

"With so many people searching, why couldn't you find it?"

"There are many side roads, and each side road has several branches. Who knows which side road or branch the sheep took? It is impossible to find that sheep even if you send more than a hundred persons to look for it."

That afternoon, Yangzi's disciples found their teacher sitting in silence before his writing desk. Yangzi was deep in thought till dusk, when his disciples tried at last to have a word with him.

"One sheep is not a big loss, Master. And besides, it wasn't your sheep. Why get so upset?"

Yangzi replied, still lost in thought:

"It's not
scholars and I
a definite subj
people lookin;
dering all after

There we
sighted, but to
One day t
a competition.
had the better
been made, ea
what the chara
On the ap
early in the m
Standing
be hung over
' 'The fou
aren't they?"
The other
"Who cou
big as baskets.
tinued triumph
yue (the first r
Futang, a nati
By this tii
person, a man
"Where ai
like the inscrij
know, gentlen
hours away!"

Aizi was t
two dead dogs
"Where a
"I'm goin
"Are they
The neigh
"These tw
they were as ti
into my house;

240

The villagers were soon brought in. What they said to Su Dongpo exceedingly embarrassed those present in the banquet hall. The dishes they had been eating were not cooked with Heyang pork! The pigs bought in compliance with Su Dongpo's instructions from Heyang county had been caught by these villagers and were awaiting their punishment for routing in the villagers' fields.

The guests, their cheeks burning with shame, slipped out through the back door one after another.

## 54. The Admirer's Interest

It was known to all that Su Dongpo liked pork, especially a dish stewed in soy sauce was a favorite of his and became known as "Dongpo Pork".

Of course, Su Dongpo's reputation was not due to his invention of "Dongpo Pork". It was common knowledge that he was a great man of letters. People admired him for his excellent poems, essays and calligraphy.

A person who called himself an adherent of literary pursuits claimed that he was Su Dongpo's admirer, follower and pupil.

"What do you admire most: Su Dongpo's poems, essays or his calligraphy?" someone asked him.

He replied:

"Oh, I do not appreciate any of those things. What I admire most is his 'Dongpo Pork'!"

## 55. The Minister and the Monk

A minister once decided to go sight-seeing on West Mountain, where there was a magnificent temple on the summit. His *yamen* runners notified the monks of that temple three days in advance to have everything prepared for his trip, including a suitable dinner. The poor monks were thrown into a rush and muddle.

It was indeed not easy to prepare a feast in the remote mountains. The normal activities of the temple were at a standstill. The monks bustled about day and night like busy bees, everyone becoming a sweeper or a cook.

The minister came at last with a bevy of attendants crowding round. He had never been to this temple. The thick bamboo groves, the clear mountain streams, everything on the mountain fascinated the minister. Yes, he really enjoyed this trip. He took the old monk's hand and began to recite verses from a famous poet of the Tang dyansty:

... How I enjoyed the half-day's rest
In a courtyard deep in the forest
Where I had an interesting talk
With the noble monk I met. ...

On hearing these verses, the old monk burst into laughter.

"Is anything funny enough to make you laugh like that?" the minister asked the old monk.

"You have enjoyed a half-day's rest, while I, an old monk, was busy for three whole days!"

260

dropped in and these dogs began to bark for all they were worth, and they bit one of my guests in the leg. Is it worthwhile to keep such dogs, sir?"

Aizi nodded and said over and over:

"Well done! You were right in killing them!"

## 5. The Castrated Are Fiercer

People of various dynasties of the feudal society have always been fond of satirizing the imperious and despotic eunuchs.

Aizi kept two rams in his front yard. These rams liked to butt strangers who approached. Aizi's disciples who came visiting him were victims of the cursed rams, so one day they discussed the matter with Aizi.

"Rams are fierce by nature. They butt us with their horns. If you castrate them, we are sure they'll be more docile and not butt us any more."

Aizi smiled faintly and said:

"You're wrong. Aren't those castrated even fiercer now?"

## 6. Rich Relatives

Aizi was walking with a friend. When someone approached in a sedan-chair, his friend took him aside and said: "This is a relative of mine. Let's wait here by the roadside, otherwise he'll certainly get out of his chair and greet me."

After some time, someone came by in a horse-drawn carriage, and Aizi was once again led off the road by his friend.

"That is a good friend of mine. Let's go this way, sir, or he'll certainly get out of his carriage and greet me." Aizi was told while hurrying down the road.

Aizi was highly amused as this sort of things was repeated again and again during their stroll. It was a beggar who came along the road next, and this time Aizi took his friend by the arm and whispered in his ear:

"This is a relative of mine."

"A friend of mine," whispered Aizi on seeing an itinerant entertainer approaching.

Aizi's friend was surprised and asked:

"Where on earth did you get so many poor relatives and friends?"

Aizi replied:

"You have adopted all the rich and highly privileged. Naturally the poor and lowly are relatives and friends of mine."

## 7. Jiao Qiong, Who Never Flatters Anybody

Jiao Qiong was very poor, yet he was acquainted with a man of wealth called Tan Fu. One day Tan Fu asked Jiao Qiong:

"I have so much money, why don't you ever flatter me?"

"You're rich indeed, but you'll never give me your money for nothing, so why should I flatter you?" Jiao Qiong replied.

"Will you flatter me if I give you twenty per cent of my property?"

241

"No, it still wouldn't be fair. I won't flatter you."

"Suppose I give you half of my property."

"In that case we would be equal, then why should I bother to flatter you?"

"Well, suppose I give you all my property, surely you won't refuse to flatter me then."

To that Jiao Qiong replied with a laugh:

"Then I'd be a man of wealth, and there wouldn't be any need for me to flatter you!"

## 8. Abnormal Weather

One winter night a general was drinking in his field tent. Giant candles were burning in candlesticks and fire roared in a gigantic stove. These and the liquor, of which the general had drunk quite a bit, made beads of sweat ooze from the general's forehead.

"The weather is indeed abnormal these days! It should have turned cold by this time of the year, yet it's hot!"

The sentry standing guard before the tent heard what the general said and slipped in to report to him:

"It seems to me, General, that the weather on my sentry post is quite normal. Do you want to come out and check it?"

## 9. Selling Horses

A man was offering his horse for sale in the marketplace. He stayed for three days, but no one came to look at his horse. On the fourth day he went to Bo Le, a famous horse fancier.

"I've come to you, sir, with only one request: Walk around the place where my horse stands. Just take a look at it and after passing, turn your head and throw a glance."

Early in the morning on the fifth day, Bo Le came as requested. He went up to the horse and examined it from head to tail. Then he turned and glanced back as he passed by. He left without saying a word.

Bo Le had gone only a few steps when a crowd rushed in and surrounded the horse. Everybody was asking about it, all eager to buy the horse which Bo Le had seen. Before noon the price of the horse had jumped to ten times that asked in the morning.

## 10. "Dan" Is "Dan"

A certain person ridiculed Huizi to the King of Liang:

"Huizi can speak only in metaphors and analogies. If Your Majesty forbid him to use these, he wouldn't be able to tell anything clearly."

The next day the King met Huizi and said:

"In future please talk plainly, speak straight to the point and don't use metaphors and analogies any more."

Huizi said:

"If someone tells me that he doesn't know what is meant by DAN, and I tell him that DAN is DAN, do you think he will understand?"

"Of course he won't," the King of Liang replied.

"Well, suppose I explain that DAN resembles a bow in shape, its string is made of bamboo, and DAN is used for shooting. Do you think he'll understand that?"

"Yes, I think he would."

Huizi said:

"I use metaphors and analogies to explain to people what they do not yet understand. My purpose is to make people understand in terms of what they already know. How could I stop using metaphors and analogies as you have ordered me?"

To this, the King of Liang replied:

"You are quite right!"

## 11. Surgeon and Physician

A military officer was hit by an arrow in battle and went to a doctor for treatment.

This doctor, who called himself a "superb surgeon" capable of handling any difficult and complicated case, said: "Well, well, well", when the wounded officer complained to him of his wound. Then, he took out a pair of huge scissors.

"Crack!" The arrow shaft snapped. The doctor picked up the shaft he had cut off, held it between his thumb and forefinger, and said:

"Look! Do I deserve my reputation? I've cured your wound in no time!"

But the military man wore a long face. He asked the doctor:

"The arrowhead is still in my flesh! What are you going to do about that?"

The "superb surgeon" replied:

"I'm a surgeon, the wound inside your flesh has nothing to do with me! You go to the physician for that!"

## 12. The Functions of Sleeves

The new magistrate was making a public declaration:

"This is not the first time I've taken office as magistrate. I'm known as the first honest and upright official in this area. Heaven is my witness! In the days to come, if my left hand takes bribes let my left hand rot; if my right hand accepts bribes, let my right hand rot."

After a few days one of the magistrate's subordinates sent him one hundred taels of silver. The gleaming silver made the magistrate wild with joy, but he kept murmuring:

"I've taken an oath before Heaven that whichever hand takes this silver will inevitably rot."

A courier who had been serving this magistrate for some years understood the magistrate's dilemma, and so stepped forward and said:

"My master! Tell the man to put the silver into your sleeves! It's nothing if those sleeves rot some day!"

The magistrate smiled as he stretched out his sleeves.

### 13. Curing the Hunchback

A certain person who claimed he could cure hunchbacks put up a shingle reading: I specialize in curing hunchbacks of all kinds, whether bow-shaped, shrimp-shaped, basket-shaped or cauldron-shaped. My cure is instant.

A hunchback saw the sign and was overjoyed at the good news and asked the specialist to cure him. To his surprise, the man who put up the signboard didn't ask one question about his condition, nor did he write out a prescription for the patient. All he did was to get two planks, one of which he placed on the ground and asked the patient to lie on it. The other he laid on the patient's body. Then he tied the two planks together with a thick rope. Afterwards, he jumped onto the plank and began to dance till the hunchback was indeed straight. But the patient sandwiched between the planks was already dead.

The hunchback's family naturally held this specialist responsible for the patient's death, but the specialist said:

"My signboard is clear enough: I'm responsible for curing the hunchback, not for the patient's life."

### 14. The Ambassador

Yanzi of the State of Qi was named state envoy to the State of Chu. On hearing this, the King of Chu decided to insult the State of Qi in Yanzi's presence.

One day, the King of Chu invited Yanzi to a banquet. At the height of the entertainment two petty officials led in a convict bound with rope.

"What crime has he committed?" the King of Chu asked pointedly.

"He's a robber! He's from the State of Qi."

The King of Chu turned round and said to Yanzi:

"I didn't expect that you Qi people are hardened bandits."

Yanzi got up from his table and replied:

"Your Majesty! I've heard that the orange trees that grow on the southern bank of the river Huai become trifoliate when transplanted to the northern bank of the Huai. The two sorts of trees look the same, yet their fruits taste quite different. People in our state never engage in robbery but only begin to commit crimes once they are in the State of Chu. Would you say this is due to the change in environment?"

The King of Chu was left speechless.

### 15. Verbal Swords

The King of Chu said to Yanzi, the state envoy of Qi:

"I suppose there are really not many people in your State of Qi."

Yanzi said:

244

"There are more than seven thousand households in our capital alone. The streets are always jam-packed. The pedestrians can shut out the sunlight by waving their sleeves. Sweat pours like rain when they wipe their foreheads. What makes you think there are not many people in my state?"

"If there are really many people in your state, why should they send a man like YOU as state envoy?"

Yanzi replied:

"We Qi people maintain a rule of principle in selecting envoys: If the other side is a good state, we send good envoys; if the king is incompetent, we sent incompetent envoy to that state. I am known as a most incompetent person in our state, and that is why I'm here as envoy."

## 16.  Aspirations

In the ocean there was a fish called KUN so enormous that no one knew how long it was. Beyond the ocean there was a gigantic bird called PENG, the roc, which was said to be able to hide half the sky when it spread its wings. It was said also that it flew ninety thousand *li* with one flap of those wings.

A tiny sparrow perching on the seashore tittered:

"Look at you, Roc! Where are you flying? I may not fly high, but am I not able to fly several meters? I fly under the eaves, am I not happy too? Oh you, Roc, where are you flying?"

How can a tiny bird that flies only a few meters understand the aspirations of KUN or PENG, the roc?

## 17.  The Frightened Bird

Geng Ying, an archer of the State of Wei, accompanied the King on a visit to a scenic spot called Jingtai. Hearing a sad and shrill cry, the King of Wei looked up and saw a bird circling high above. The King asked Geng Ying:

"Do you see that bird? Can you shoot it down with your bow and arrow?"

Geng Ying replied:

"I can shoot it down without an arrow."

As the bird flew nearer, Geng Ying drew his bow taut and plucked the string. The next moment the bird fell at the King's feet.

The King of Wei was amazed.

"What excellent skill! You shoot without an arrow!"

Geng Ying said:

"It is not my skill, Your Majesty. This is an unlucky bird. Its cry was so sad and shrill, its movement weak and weary. It was wounded and lonely, without a companion, and on the verge of collapse. On hearing the sound of my bow-string, the bird assumed it was hit by an arrow, so it fell without being hurt in the least. What a pitiful frightened bird!"

245

## 18.  The Fish in a Tree-hole

A tall tree stood not far from the highway, and in its trunk was a hole the size of a wash-basin.  After a heavy rain, the tree-hole was always full of rain water.

One day a fishmonger passed by and, seeing a lot of water in the hole, put a live fish in it out of curiosity.

A passer-by was surprised to find a live fish in the hole and said to himself:

"How is it possible to keep a live fish in a tree-hole?  Is it perhaps a sacred fish?"

The news about a "sacred fish" spread like wild fire.  People from several dozen *li* away came to burn incense and kowtow.  The spot where the tall tree grew was soon turned into a bustling fair.

After a few days the fishmonger once again passed by the "fair" and was highly amused at the fantastic scene.

"Hey, what are you people imagining!  This is the live fish I put in the hole a few days ago.  Now it seems I'd better take it back or you'll all be haunted by evil spirits."

The fishmonger took the "sacred fish" out of the tree-hole and tossed it into his basket.  The surprised people stood under the tree gazing at the departing fishmonger.  They could faintly hear him humming a popular tune as he walked along the highway.

## 19.  Good Wine and a Fierce Dog

There was a wineshop in the State of Song which sold excellent wine and gave full measure.  The owner was always polite to his customers, and the shop was neat and tidy.  In the ordinary course of events, the trade should have been brisk, but actually only a few people came to buy wine here.  By and by, the stored wine gradually turned sour.

The owner of the wineshop was upset about his poor trade and one day went to see an old gentleman about it.

"Sir, I've come to ask you for advice.  I'm the owner of a wineshop.  We sell excellent wine at a reasonable price.  I try my best to be polite to my customers and serve them well.  But what puzzles me is that my wine doesn't sell.  More of it turns sour every day!"

The old man thought for a while and asked:

"Do you keep a fierce dog?"

"Oh yes, my dog is fierce indeed!  But what has it to do with my business?"

"Your customers send their children to buy wine from your shop.  The kids go with money and wine pots, but before they reach your shop, your fierce dog rushes at them barking, bites them in the legs and tears their trousers.  Who would be willing to go to your wineshop?  With such a fierce watchdog you're only wasting your time and energy making good wine!"

## 20.  The Vocalist

Qin Qing was a famous singer of the State of Qin.  A singer named Xue Tan had been learning vocal music from Qin Qing, and after a few months Xue Tan thought he had mastered his teacher's virtuosity and told his teacher that he was going home. His teacher Qin Qing didn't urge him to stay, but said he would give his pupil a send-off party.

The farewell party took place in a pavilion not far from the city on the day of Xue's departure. Qin Qing drank a few cups of wine and said he was to sing a farewell song for his pupil. Accompanied by the melody of a plucked instrument, the vocalist began.

Oh! What a marvellous voice! What a magnificent song! It was simply a miracle of vocal music. The nearby woods were shaken by his voice, and the branches of the trees rocked and swayed on the waves of his song. The leaves of the trees were proud that the singing of this best vocalist was accompanied by their rhythmic rustling. Qin Qing's voice reached the sky, and the white clouds paused to enjoy his touching singing.

Xue Tan was stunned by his teacher's singing, and tears misted his eyes. How ignorant he had been, how arrogant and conceited! He was too far behind his teacher to catch up, yet he was throwing away the opportunity to learn from this great virtuoso.

Xue Tan changed his mind and asked sincerely to stay and continue his study. Qin Qing warmly accepted Xue Tan's request.

## 21. To Protect Birds or Harm Them

The people in Handan had a custom of catching turtledoves on the first day of a new year. They caught these turtledoves and sent them to the king, who set the birds free and rewarded the senders with gifts.

Once a person came to ask the king:

"What do you mean by demanding those pretty birds as tribute and then setting them free?"

"So that my people can see that the first thing their sovereign does at the beginning of a year is to bestow favors and bounties."

"Your Majesty! Your people know that you want these birds, so everyone tries his best to catch them. Those caught alive are sent to you for reward, but what about those birds that are cruelly killed in the catching? And I understand that many birds are killed than are caught alive! If you really intend to free those poor turtledoves, the best way is to forbid people to catch them. You ask people to catch the birds and then set them free, so people catch the birds to have you set them free, but do you know how many turtledoves have been killed in this ridiculous course? Your so-called favors and bounties are in fact a way to kill turtledoves!"

## 22. Don't Violate the King's Taboo

There were many *haizhu* (lit. sea-pigs) in the Yangtze River near Nanjing that often destroyed the embankment by digging in the earth with their snouts. Once a report reached Zhu Yuanzhang, the first emperor of the Ming dynasty, informing him of a new collapse of the embankment near the capital. Zhu Yuanzhang asked his ministers what could possibly account for the collapse.

The ministers knew well that Zhu Yuanzhang had a lot of taboos and anyone who violated even one of these would certainly be decapitated, so everyone was extremely careful in speaking before the sovereign. Who would dare to say that it was *haizhu* that caused the collapse of the embankment? Now pig (*zhu*) was a homonym of the emperor's surname, and the extermination of an entire family was the last thing the ministers wanted! Fortunately, there was a quick-witted minister who made up his story in one second: if I say that it was *dayuan* (soft-shelled turtle) which caused the collapse of the embankment, the sovereign will certainly be very happy, because *yuan*, the turtle, is a homonym of the dynasty of Yuan conquered by Zhu Yuanzhang himself. The minister said aloud:

"It was those damned *dayuan* that destroyed our embankment, Your Majesty!"

Zhu Yuanzhang immediately issued an order to exterminate all the turtles in the city as well as in its environs.

The luckless turtles became almost extinct, but the sea-pigs went on riddling the embankment with their snouts, day after day, year after year.

## 23. Who Is More Handsome?

Zou Ji asked his wife after having dressed himself before the mirror:

"In your opinion, who is more handsome, I or Mr. Xu from the north city?"

His wife said:

"You are much more handsome than he, of course! How can he possibly be compared with you!"

Now, Mr. Xu was well known for his good looks, and Zou Ji could not believe what his wife said. He asked his concubine:

"In your opinion, who is more handsome, I or Mr. Xu?"

His concubine said:

"How can that man Xu be compared with you!"

After a while, a guest dropped in, and Zou Ji asked him the same question. The guest said:

"You are much better-looking than Mr. Xu."

The next day Mr. Xu called on Zou Ji. Zou Ji scrutinized Mr. Xu and felt that Mr. Xu was certainly more handsome than himself. He stole a glance in the mirror and found that he could hardly be compared with this handsome Mr. Xu.

Zou Ji thought hard for a long time and finally reached the following conclusion: My wife loves me and so is emotionally partial to me. She therefore praises me. My concubine is afraid of me, so she flatters me. The guest came to me with a request. Naturally he fawned on me intentionally. How difficult it is to hear comments which conform with reality!

## 24. The Neighbors' Complaint

There was a dog in a village which often left its droppings near a well that was used by a dozen families. Disgusted with the dog's behavior the villagers planned to tell its master what it was doing and ask him to mind the dog. But the villagers could not even see the dog's master, for each time they approached the gate of its master's house, the dog rushed out and snapped at them. Finally, no one dared to approach the house.

Persons who are afraid of having their faults exposed bear a certain similarity to this dog which got in the way of the plaintiffs.

## 25. Free Game

Xuanwang, King of Qi, was prepared to attack the State of Wei. Chunyu Kun had an audience with the King:

"Have you ever heard the story about Han Zilu and Dongguo Qun? Han Zilu was the best hound in the country, while Dongguo Qun was the cleverest hare. The hound chased the hare around the mountain, five circles halfway up the mountain and five times across its summit. The hare could run no longer, nor did the hound, so both lay dead near the foot of the mountain. A farmer passed by and picked up the dead hound and hare without the slightest effort.

"Our country has been battling the State of Wei for years, our soldiers are utterly exhausted and our people are in unbearable agony. Moreover, please don't forget that the powerful states of Qin and Chu are sitting on top of the mountain watching us fight each other. If we send troops to attack the State of Wei, I'm afraid the farmer would cook another hound and another hare that he would pick up free of charge!"

The King thought for a while and said:

"Well, let it pass! We won't send troops then!"

## 26. More Than Seven

When Chunyu Kun recommended seven wise men to King Xuanwang in a single day, the King asked in surprise:

"I hear it's hard finding men of talent. If one wise man can be found within a distance of one thousand *li*, we can say there are quite a few wise men in this country. If one can find a saint in one hundred years, we can say that there are many saints in this country. Since you have recommended seven wise men to me in one day, it seems to me that we have too many wise men in our country."

Chunyu Kun replied:

"Birds of a feather flock together, wild animals of the same kind also run in packs and herds. If, for example, we want to fetch medical herbs such as *chaihu*\* and *jie-geng*\*\* but go to the marshland it's certain we won't find a single plant. But if we go north of Mts. Zeshu and Liangfu, we can gather these herbs by the cartload. Things of a kind stay together. We human beings do too. You asked me to select wise men for you; this task is as easy for me as carrying water from the river or making fire with a piece of flint. I was thinking of introducing a large group of wise men to you, many more than seven!"

---

\*bupleur
\*\*platycodon

## 27. Admonition

The king called his ministers together the next day after he ascended the throne.

"The late king was unwilling to accept your opinions and acted arbitrarily. As a result, he was defeated and died in battle. From now on I hope you will criticize me for my faults frankly and rebuke me for inappropriate acts. I will listen to your criticism with an open mind."

Sima said:

"Your Majesty, what you have just said is, of course, correct, but ..."

The king flared up:

"But what! Do as I say!"

Minister Gongsun murmured:

"Yes, Your Majesty, we'll surely do as you say, but ..."

The king flew into a rage:

"But what! I told you to do as I say!"

After the meeting, Gongsun said to Sima:

"I think in future we'd better hold our tongues."

## 28. Suspicion

It was an established practice in the State of Zhu to tie coats of mail together with silk fabric. One day, Gongxi Ji said to the King:

"Silk rope would be better for tying the coats of mail together than silk fabric. It's much more durable."

The King accepted his proposal but asked:

"Where are we going to buy so much rope though?"

Gongxi Ji said:

"Our people will certainly produce it once you make it known that we need it."

The King then issued the order: In future the coats of mail should be made with silk rope.

Hearing this order by the King, Gongxi Ji told his family members to learn how to ma ke silk rope to meet the demand of the country.

A personal enemy of Gongxi Ji thought this was a rare chance to get even, so he went to the King and said:

"Your Majesty, do you know why Gongxi Ji made this proposal? It was because all his family members know how to make silk rope. He'll make an enormous fortune for himself."

The King was turned against Gongxi Ji and the next day issued a new order forbidding his subjects to use silk rope for tying the coats of mail. Everyone should follow the old practice.

The suspicion of the King of the State of Zhu was obviously unfounded. If silk rope was really more durable than silk fabric, what harm could Gongxi Ji do to the country if he produced more of it?

250

## 29. Solo

The King of the State of Qi, Xuanwang, was keen on the performance of *yu*, an ancient wind instrument, and since he went in for ostentation and extravagance, his royal orchestra was made of three hundred *yu* players. At each performance these three hundred musicians played the *yu* together for their sovereign.

A person known as Mr. Nanguo sought audience with the King and told him that he was a famous virtuoso of the *yu*. He asked to join the royal orchestra.

The King, Xuanwang, ordered him placed in the orchestra and paid a considerable salary.

After the death of Xuanwang, Minwang took the throne. The new King was also keen on *yu* performances, but contrary to his predecessor, Minwang preferred solos to the former orchestra performances. The all-*yu* orchestra was told that the new King would enjoy solo performances in future.

Mr. Nanguo fled the very night the new order was issued. He had occupied a place among the musicians for many years without knowing the first thing about playing this wind instrument.

## 30. Two Different Feelings

The finless eel reminds us of the snake, and the silkworm is quite similar to *yanglazi*, a sort of caterpillar. Yet, people sometimes cry out when they come upon a hidden snake or shudder before *yanglazi*, which causes itching and pain.

But how do people act in the presence of an eel or a silkworm? A fisherman would only be too happy to hold the eel on his fishhook in his bare hand. A silkworm raiser lives with the silkworms day and night, feeding the worms with the best mulberry leaves. He looks after his silkworms as if they were his precious offspring.

The reason is that people know that silkworms and eels are useful to them. Some persons know the use of snakes in curing disease, and their feeling toward a snake is not quite the same as others'.

## 31. The King of Chu Beats the Drum

The King of Chu, named Liwang, informed his subjects that in case of emergency he'd order the palace drum beaten, and on hearing the drum they should be galvanized into action.

One day when King Liwang was in his cups he was tipsy as he passed the palace drum-rack and began beating the drum in drunken excitement.

His subjects thought there was an emergency and everybody hurried to the palace, men, women and children, till a huge crowd gathered in front of the palace.

An official on the King's order spoke to the crowd:

"Our King was just amusing himself by beating the drum after drinking. Nothing serious has happened."

The crowd dispersed.

Several months later, the subjects heard the drum being beaten again. This time the State of Chu was really in danger, but no one went to the palace, where the beating of the drum sounded all day.

## 32. A Pretty Box

A jewel merchant from the State of Chu was going to the State of Zheng to sell his jewels, which he kept in a pretty box made of fine wood.

A citizen of the State of Zheng was fascinated by this precious box and paid the jeweller a large sum of money for it with the jewels inside. But he kept only the box and returned the jewels to the merchant.

This man of the State of Zheng knew only that the box was costly, not that the jewels in the box were worth ten times as much as the pretty box!

## 33. Recommendation

The Duke of Jin, Pinggong, asked Qi Huangyang:

"We need a magistrate in Nanyang County. Who do you consider fit for the post?"

"Xie Hu is," Qi Huangyang replied.

"Is Xie Hu not your personal enemy? Why do you recommend him as the magistrate?"

Qi Huangyang said:

"You asked me who is fit for the post, not whether Xie Hu is my personal enemy, didn't you?"

Xie Hu in fact was a good magistrate in Nanyang County, and the people praised him.

After some days, the Duke asked Qi Huangyang:

"We need a judge in the court. Who do you think is fit for the post?"

"Qi Wu is fit for the post," Qi Huangyang replied.

"Is Qi Wu not your son?"

Qi Huangyang said:

"You asked me who is fit for the post, not whether Qi Wu is my son, didn't you?"

Qi Wu was a good judge, and was praised.

Confucius says:

"Qi Huangyang recommends a person according to his ability and moral integrity. He didn't refuse to recommend his personal enemy or his own son. He was not blinded by prejudice or constrained by street gossip. Qi Huangyang is most selfless."

## 34. Desperate Struggle

In the State of Chu there was a young man called Cifei. Extremely satisfied with a valuable sword he bought in Gandui, Cifei boarded a ferryboat on his return home. Mid-way of the river two fierce dragons appeared not far from the boat. They coiled

252

and stirred up foam, tossing the boat from side to side. Seeing that the boat was soon to be swamped, the passengers were very frightened.

The young man asked the boatman:

"Can we find a way out of the situation?"

"No, once a ferryboat meets these dragons, the passengers are doomed to die sooner or later."

Cifei drew his sword and said:

"Passengers have been killed by these evil dragons because they were helpless at the critical moment and didn't even try to struggle for their lives. I'm not afraid of standing up to these dragons. I'll fight to the bitter end!"

Cifei jumped into the river and fought desperately against the dragons. After a death-defying struggle Cifei killed both of them and saved the lives of the people on the ferryboat.

## 35. A Grand Tower Base

The King of Wei on a sudden impulse decided to build an extremely high tower and even had a name for it — Mid-sky Tower. The ministers urged him strongly to change his mind, but the King would not listen to their advice and issued a decree forbidding them to present any more memorials to him: Anyone who dared come to advise the King against his plan should be executed.

Xu Wan, despite this, went to see the King with a spade on his shoulder.

"I hear that Your Majesty wants to build Mid-sky Tower, so I've come to do my duty."

The King said:

"What work can you do in this construction?"

"Though I'm not young and strong, I think I'm still able to do something in the construction. I have heard that our earth is fifteen thousand *li* from the sky. If Mid-sky Tower is to be half that height, it will have to be seven thousand five hundred *li* high. Now, such a high tower should have a base at least eight thousand square *li*, otherwise the tower would certainly collapse. At present, our domain is not big enough for the tower base. We must conquer the neighboring states first. But it is quite possible that their territories would still not be spacious enough for this base, so the only way out is to send troops to conquer the states in the remotest corners of the earth. Besides, we should provide land for the builders to live on, land to store grain and stack timber. Moreover, a still wider area is needed to plant crops for the builders. So many projects are to be done! I think that in any case you may find me useful in your construction. This is why I've come with a spade to see Your Majesty."

The King of the State of Wei heaved a deep sigh and said:

"Enough! I rescind my order. No tower is to be built."

## 36. Yin Chuo Doesn't Like Ugly Things

Zhao Jianzi had two aides, one called Yin Chuo and the other She Jue.
Zhao Jianzi commented:

"My aide She Jue esteems and cherishes me, he never talks about my faults in the presence of others.  But I simply can no longer hear the way my other aide, Yin Chuo, treats me.  He always criticizes my faults and mistakes in the presence of others."

Yin Chuo heard this and went to see Zhao.

"You're wrong about us.  She Jue never pays attention to your faults and mistakes, but cherishes you together with the ugly side of your moral character.  I often notice your faults and mistakes and ask you to mend your ways and correct your mistakes.  I do not esteem and cherish what is ugly in you.  I'd like to ask you a question:  What is to be cherished in ugly things?"

## 37.  Doctor, Patient and Pharmacy

The famous literator Liu Zongyuan once fell ill and a well-known physician was sent for.  The doctor diagnosed the case as splenomegaly.

"Take some *poris cocos* of high quality and you'll recover in a couple of days."

A servant bought the medicinal herb from a pharmacy, decocted it and gave the brew to Liu Zongyuan.  After taking the medicine Liu got worse.  Thinking the physician had given the wrong prescription, Liu again sent for the doctor and called him to account.

The physician poured the dregs of the decoction out of the pot and found that instead of the *poris cocos* he had prescribed they were dried, dyed potatoes.

The doctor heaved a sigh and said:

"The pharmacy owner is a swindler and the patient doesn't know anything about medicinal herbs.  How can I the doctor alone, cure him!"

## 38.  Which Is the Original One?

Shi Caishu kept a valuable copybook of a famous calligrapher of the Tang dynasty.  Though he was very poor, he was reluctant to sell this valuable book.

When Wen Yanbo was a high official in Chang'an, he borrowed this book from Shi Caishu and had it copied.  One day, Wen Yanbo invited many guests to a banquet.  During the feast, he took out the two books, the original one of Shi Caishu's collection and his copy.  He put the two on the table and asked the guests which was the original one and which the copy.  The guests without exception insisted that Shi Caishu's book was spurious, while Wen Yanbo's duplicate was the original one.

Shi Caishu smiled wryly and said to Wen Yanbo:

"Since I'm poor, my genuine book has become the false one!"

## 39.  The Worst Mice

Guan Zhong told Qiwang, the King of the State of Qi:

What the people hate most are mice, because the disgusting vermin spoil the grain people get through hard labor.  Yet the worst mice are the ones behind the sacrificial altars.  The altars are sacred places encircled by wooden railings and thick walls.  People are well aware that the mice are committing all kinds of outrages behind the altars, but they can do nothing with those disgusting mice. Smoke out the mice, you say? But what if you burn the wooden railings? And yes, water has no mercy for mice, but who would take the risk of damaging the walls around the altars?

Since no one dares to touch the railings and walls, the mice rest assured that they can make cosy nests behind the altars without being disturbed. So the mice behind the altars are the worst!

## 40. The Secret of Talking

The respected philosopher Mozi was taking a walk with his pupil around a pool. The pupil asked:

"Master, do people after all profit from talking much?"

Mozi replied:

"That depends on what they talk about. For instance, the frogs in the pond croak from morning till night, but who would ever pay attention to their croaking? The croaking of the frogs only annoys us. But what about the crowing of a rooster? A rooster crows only a few times at daybreak, yet people pay great attention to its crowing, because they know it means daybreak. So it is not important whether one talks much or little, the main point is that one should speak to useful purpose."

## 41. Who Stole the Axe?

Once a person lost an axe. He suspected that his neighbor Wang Xiao'er had stolen it. He began to watch what Wang Xiao'er did and said and came to feel that Wang's actions and even his voice were quite different from others'. In short, Wang's every act and word reminded him of a thief.

After a few days this person found his axe on a hill: he had left it in a thicket the day he was there cutting firewood.

The next day he met Wang Xiao'er in the street. He stood there watching his neighbor and felt that Wang's actions and, moreover, his voice were entirely different from those of a thief.

## 42. The King of Lu's Hospitality

Outside the capital of the State of Lu, people found a sea-bird. No one had ever seen such a bird, so they considered it indeed a rare treasure. The news spread far and wide and finally reached the ears of the King, who ordered the bird brought to the palace.

On the King's instructions the bird was kept in the backyard. The officials bathed the bird everyday and fed it solely on meat and wine. An orchestra was sent to play music for this bird from daybreak till sunset. In the King's words, the bird should be entertained as an honorable state guest.

The hospitality of the King of Lu frightened the sea-bird terribly. Badly upset by the performances, the bird refused to eat and drink. After three days it was found dead in its fine cage.

## 43. The Treasure

There was a person from the State of Song who had the bad habit of fawning on people with power and influence. One day he procured a jade and offered it to a minister called Zihan who, however, refused to accept the gift.

The sycophant said:

"Who deserves this precious jade? Who is worthy of wearing this jade pendant? It's you! You deserve it! You are the only person worthy of this precious ornament! I own this jade, but I'm too vulgar to wear such a magnificent pendant. Please accept my humble gift. Take it, do take it, please!"

Zihan said:

"You consider this jade as treasure, but my treasure is to loathe flattery. Let's keep our treasures to ourselves then."

## 44. Bold Men

There were two bold men in the State of Qi, one from the east city and the other from the west city. One day these two men met in the street and said what a rare chance it was for the two brave men to meet. They soon decided to drink their fill in a nearby wineshop.

Having drunk several cups, the bold man from the east city said:

"I'll buy some cold meat to go with the wine."

The bold man from the west city said:

"There's no need to buy meat. Haven't we a lot of flesh on our bodies? Since we two are known as bold men, should we fear pain?"

He drew his dagger and cut a piece of flesh from his leg, which he dipped in sauce and swallowed. The other bold man, surely not to be outdone, drew his sword and cut a piece of flesh from his leg. In order to prove their respective nerve and courage, they began to compete with each other in cutting off their own flesh and it was not long before the two were found lying on the ground breathing their last.

## 45. You Will Accomplish Nothing

The King of Qin, Wuwang, was seriously ill and sent for the famous doctor Bian Que. Having made a definite dianogsis, Bian Que told Wuwang that he was to be given a necessary treatment.

The subordinates of Wuwang came to see their sovereign.

"Your Majesty! We're sure that the focus of your disease lies somewhere between the ears and the eyes. This doctor doesn't necessarily know how to cure you. He might harm your ears and eyes. What if you become deaf and blind?"

Wuwang, overcome with fear, told Bian Que what his subordinates had said to him. Bian Que threw down the medical instrument he held and said angrily:

"A patient consults his physician, but those persons you consulted are complete laymen! In so doing you are bringing about your own destruction! Here we can also see the politics of the State of Qin. As a King, you act in an uncertain or, rather,

256

hesitating manner, it's only natura lthat people say: 'Our King will accomplish nothing!' "

## 46.  Magic Arts

Once upon a time there was a Taoist priest surnamed Jin.  He was determined to go to Mt. Xiyue, because he was told that on this high mountain there lived someone who had mastered the magic art of longevity.

It took him one and a half months to reach Mt. Xiyue, and unfortunately this man of magic arts had died just two days before his arrival.

"What a pity!  Why did I walk at a snail's pace all the way!"  He flung himself onto the ground and sobbed bitterly.

An elderly person passed by and asked Jin what was the matter.  The Taoist priest poured out his grievances.

"Ah, that's why you are sobbing here!  You have come all this way for the magic arts.  Suppose that man on the mountain really possessed them, how could he ever die himself?  If he couldn't even keep himself alive with his magic what use would it be to you?  You are a fool and indeed possessed!"

## 47.  The Duke Likes Birds

Duke Jinggong was very fond of small birds.  Once when Zhuchu, the official in charge of birds, lost one because of his neglect of duty, Jinggong was furious.  The escaped bird was his favorite, so he condemned Zhuchu to immediate death.

Yanzi was informed of the Duke's decision and hastened to see Jinggong.

"In my view, Zhuchu has committed three crimes which merit the death penalty. Let me enumerate his crimes one by one, so that he can sincerely admit them and die without regret."

Duke Jinggong nodded assent.

Yanzi walked slowly toward Zhuchu and said aloud:

"You, Zhuchu, are responsible for the birds, but you let one of them out of the cage.  This is your first crime.  Your second crime is that you caused our sovereign to kill a person because of the lost bird.  Your third crime is that after you lose your head, foreigners will blame our Duke for not loving people, but little birds instead.  You wretch, Zhuchu!  What crimes you have committed!  Now, do you understand why you deserve the death penalty?"

Jinggong rushed up and said:

"No, no!  Zhuchu is not to be put to death.  I was wrong!"

## 48.  Candle-Light

Duke Pinggong said to his minister Shikuang:

"I'm seventy years of age.  Though I desire to read and learn more, I always feel it's too late...."

"Is that so?  Then why not light a candle?"

"It is a serious matter I was referring to, but you are joking."

Shikuang said:

"I'm not joking. A youth who is eager to learn has a bright future; he is like the morning sun. A person of middle age still has a lot of golden time if he is eager to learn. Persons of our age are like candles. If we are still eager to learn, the candles will give as much light as they can, and though dim a candle is ten times better than pitch-dark!"

## 49. He Wants to Present a Pig to the King

All pigs in the Liaodong district were black, but once a piglet was born with a white head. Its owner showed it to his neighbors, who had never seen such a pig and congratulated the owner on his luck, assuring him he had a rare treasure.

A rare treasure! The owner's greed was aroused. He decided to present this treasure to the king for a handsome reward. He drove his treasure across the river, but to his surprise found that all the pigs on the other side of the river have white head.

"What a shame!" he murmured. He picked up the piglet and hurried home.

## 50. The Impetuous Wang Lantian

Wang Lantian was known for his impatience and impetuosity.

One day his wife had boiled some eggs whole for dinner. As soon as she laid them on the table Wang Lantian tried to pick one up with his chopsticks — no easy feat for an impetuous person like Wang Lantian. Too impatient to use the chopsticks, he snatched up the egg and threw it on the floor. But the egg did not break. It turned round and began to shake its head and wag its tail. "Am I a laughing stock of yours, you disgusting egg!" Panting with rage, Wang determined to crush this wretched egg under his foot, but unfortunately the egg escaped.

Wang Lantian was now at the height of his anger. Sweat poured from his forehead. He bent down and caught hold of the trouble-making egg, flung it whole into his mouth and bit it fiercely several times, shell and all. Finally he spat out the nasty egg and yelled:

"Now I'll see whether you are till capable of making trouble for me!"

## 51. Sloppy Handwriting

A prime minister of the Song dynasty was very fond of rapid-hand texts or characters written swiftly and with strokes flowing together, and these were what he actually wrote. When he was pleased with himself he would write in a haphazard way with his brush running like dragons flying and phoenixes dancing. One day he asked his nephew to copy his manuscript. The young man read it carefully but, to his embarrassment, he found that there were many characters which he simply could not recognize.

The young man went to see his uncle, the prime minister, to ask him what the underlined characters were. The prime minister remained tongue-tied for quite a while, because he himself could hardly recognize the underlined characters in the manuscript. At last he said angrily to his nephew:

"What have you been doing recently? Why didn't you come to see me a bit earlier with my manuscript? Now, I cannot recognize them myself!"

## 52. Watch the Sky

Zhang the Third was walking in the street when he saw a man leaning against the wall and watching the sky attentively with his head tilted to one side. Zhang the Third stopped. He also began to squint at the sky with his head tilted to one side.

Li the Fourth passed by. Seeing two persons looking in the same direction with their heads tilted to one side, he thought a spectacle must have appeared in the sky. He stopped immediately and began to look up with his head tilted to the other side.

Wang the Fifth was not a person to lose an opportunity to enjoy any rare sight in the street and so looked about on tiptoe with wide open eyes.

Zhao the Sixth passed by and soon joined in.

The scouting contingent grew till several dozen persons were scanning the blue sky without discovering anything strange. The late comers asked the early comers: "What were you looking at just now?"

The same question finally reached Li the Fourth and Zhang the Third. Zhang turned round and was about to ask the man leaning against the wall when he saw that this man was still standing looking up with his head tilted to one side.

"Oh that neck of his!... Wry neck!..." Everything was clear now to Zhang the Third, but he didn't say anything, and just slipped away without being seen.

## 53. The Condemned Pigs

Su Dongpo liked pork. When he lived in the Qishan district he was told that the pork from Heyang county was particularly delicious, so he sent a servant there to buy pigs. The servant was a drunkard. He bought a couple of pigs in Heyang county and drove them home, refraining from drink till he was near Qishan. There his craving for a drink reached its limit. He entered a small wineshop and drank too much. Dead drunk in the wineshop, he didn't notice that the Heyang pigs he had bought ran away. Surely the servant could not face his master empty handed, so he bought a few local pigs at his own expense and drove them back.

Su Dongpo did not suspect in the least that these pigs were native to his own district and sent out many invitation cards to his friends, saying he hoped to enjoy their company for a taste of the famous Heyang pork. The guests were admirers of Su Dongpo, a distinguished personage of the time, and believed every word he said. At the banquet everybody praised the pork they were carefully chewing: Yes, it was really marvellous! They had lived in Qishan for many years and this was their first chance to try such delicious pork; that was only natural because Heyang pork was far more tasty than their local Qishan pork, etc., etc.

Suddenly, a servant came in and told Su Dongpo that there were some villagers outside asking to see Su personally. Su Dongpo told the servant to bring them in.

The villagers were soon brought in. What they said to Su Dongpo exceedingly embarrassed those present in the banquet hall. The dishes they had been eating were not cooked with Heyang pork! The pigs bought in compliance with Su Dongpo's instructions from Heyang county had been caught by these villagers and were awaiting their punishment for routing in the villagers' fields.

The guests, their cheeks burning with shame, slipped out through the back door one after another.

## 54. The Admirer's Interest

It was known to all that Su Dongpo liked pork, especially a dish stewed in soy sauce was a favorite of his and became known as "Dongpo Pork".

Of course, Su Dongpo's reputation was not due to his invention of "Dongpo Pork". It was common knowledge that he was a great man of letters. People admired him for his excellent poems, essays and calligraphy.

A person who called himself an adherent of literary pursuits claimed that he was Su Dongpo's admirer, follower and pupil.

"What do you admire most: Su Dongpo's poems, essays or his calligraphy?" someone asked him.

He replied:

"Oh, I do not appreciate any of those things. What I admire most is his 'Dongpo Pork'!"

## 55. The Minister and the Monk

A minister once decided to go sight-seeing on West Mountain, where there was a magnificent temple on the summit. His *yamen* runners notified the monks of that temple three days in advance to have everything prepared for his trip, including a suitable dinner. The poor monks were thrown into a rush and muddle.

It was indeed not easy to prepare a feast in the remote mountains. The normal activities of the temple were at a standstill. The monks bustled about day and night like busy bees, everyone becoming a sweeper or a cook.

The minister came at last with a bevy of attendants crowding round. He had never been to this temple. The thick bamboo groves, the clear mountain streams, everything on the mountain fascinated the minister. Yes, he really enjoyed this trip. He took the old monk's hand and began to recite verses from a famous poet of the Tang dyansty:

... How I enjoyed the half-day's rest
In a courtyard deep in the forest
Where I had an interesting talk
With the noble monk I met. ...

On hearing these verses, the old monk burst into laughter.

"Is anything funny enough to make you laugh like that?" the minister asked the old monk.

"You have enjoyed a half-day's rest, while I, an old monk, was busy for three whole days!"

## 56. The Character Has Grown Up

A father was teaching his son how to read. He made a horizontal stroke with a writing brush and told the boy it was the character for "one". The son said that it was too easy to memorize a Chinese character.

The next day when the father and son were at dinner the father decided to quiz his son. He dipped his finger in the wine and made a horizontal stroke on the table. His son gazed at the thick stroke for quite a while and then said that he did not recognize this character. The father said angrily:

"You little fool! Is it not the character I taught you yesterday? What a bad memory you have!"

The son said in surprise:

"It had grown up overnight, Father!"

## 57. The Clever Guard

A landlord planted a line of willow trees. Fearing that the villagers might pull them out, he hired a boy to look after the willows. After a dozen days, the landlord came to see the newly planted trees. He found all the trees unharmed and was extremely satisfied with the boy.

"Well done, boy! Not a single tree is missing. Tell me, how did you manage without help?"

Flattered by his employer's words, the boy replied rapidly:

"No one dares to pull out the trees in the daytime while I sit here watching. During the night I pull them up myself and keep them in my room. Then I plant the trees again in the morning. That's why not a single tree is missing!"

## 58. I Should Not Have Got Up

There was a man called Wang Laowu, or Wang the Fifth, who lived in the mountain village of Qianshancun. The villagers nicknamed him Lazy the Fifth, because he hated to move. Yet, Lazy the Fifth would never admit that he was lazy, and whenever he was greeted in his nickname he would give his adversary an angry stare.

"Hey you! Who's lazy? I simply don't like to go to a lot of trouble for nothing, that's all!"

One day, intending to go on a journey, he stepped over the threshold only to stumble and fall. He picked himself up and fell again. This time he lay there on his stomach saying to himself:

"If I'd known this would happen a second time, I should not have got up at all!"

## 59. Too Lazy to Move the Pancake

Wang Laowu was lazy, while his wife was energetic. Wang Laowu, or Lazy the Fifth, did nothing at home. It was his wife who took on every household duty. One day, his wife was going to visit her parents and prepared some pancakes and a full pitcher of boiled water for her husband.

"I'll be back in a few days. You need not trouble yourself to cook. I've prepared pancakes and boiled water for you. Just get them yourself when you are hungry or thirsty."

Lazy the Fifth said:

"I don't feel like going to the kitchen. Put the pitcher on the *kang* (brick bed) and the pancakes round my neck."

The diligent wife put the pitcher on the bed. Then she cut a hole in each pancake and strung them round her husband's neck. Having finished all these preparations, she set off on her visit.

When she returned home, to her bewilderment she found her husband on the verge of death. The string of cakes remained almost untouched. It was evident that her husband took only a few bites of the cake in front. He was too lazy to turn the cakes!

## 60.   The Prime Minister Who Fell into the River

Huizi was invited to the State of Liang to take the office of prime minister. On his way to the State of Liang he fell from a ferryboat into the river. Huizi was saved by the boatman.

"You are in a hurry, sir. Where are you going?" the boatman asked Huizi.

"The State of Liang has invited me to be its prime minister. I'm hurrying on my way to take the new office."

The boatman said:

"You? The prime minister? You were at your wits' end when you were floundering at the bottom of the river! The fishes under our boat would have been well fed had I not come to your rescue in time! Ha, ha! Prime Minister!"

Huizi said:

"You swim better than I do, but are those who swim well necessarily fit to be a prime minister? I don't swim, that's a fact, but is it any reason why I'm not up to being a prime minister?"